Parfaitement
imparfait

# JEAN-CLAUDE LORD

# Parfaitement imparfait

Libre Expression

Une compagnie de Quebecor Media

Catalogage avant publication de Bibliothèque et Archives nationales du Québec et Bibliothèque et Archives Canada

Lord, Jean-Claude, 1943-
    Parfaitement imparfait
    Doit être acc. d'un DVD.
    ISBN 978-2-7648-0479-7
    I. Titre.

PS8623.O735P37 2010     C843'.6     C2009-942661-7
PS9623.O735P37 2010

Édition : Monique H. Messier
Révision linguistique : Violaine Ducharme
Correction d'épreuves : Marie Pigeon Labrecque
Couverture et grille graphique intérieure : Chantal Boyer
Mise en pages : Louise Durocher
Photo de l'auteur : © Groupe Librex
Photo de couverture : © Shutterstock
Scénario et réalisation du DVD : Jean-Claude Lord, © Films Prana 2000 Inc.

Les personnages mentionnés dans ce roman ainsi que leur nom sont entièrement fictifs. Toute ressemblance avec des personnes ou noms réels n'est que pure coïncidence.

**Remerciements**
Les Éditions Libre Expression reconnaissent l'aide financière du gouvernement du Canada par l'entremise du Programme d'aide au développement de l'industrie de l'édition (PADIÉ) pour leurs activités d'édition. Nous remercions le Conseil des Arts du Canada et la Société de développement des entreprises culturelles du Québec (SODEC) du soutien accordé à notre programme de publication. Gouvernement du Québec – Programme de crédit d'impôt pour l'édition de livres – gestion SODEC.

Les Éditions Libre Expression
Groupe Librex inc.
Une compagnie de Quebecor Media
La Tourelle
1055, boul. René-Lévesque Est
Bureau 800
Montréal (Québec) H2L 4S5
Tél. : 514 849-5259
Téléc. : 514 849-1388
www.edlibreexpression.com

Dépôt légal – Bibliothèque et Archives nationales du Québec et Bibliothèque et Archives Canada, 2010

ISBN : 978-2-7648-0479-7

**Distribution au Canada**
Messageries ADP
2315, rue de la Province
Longueuil (Québec) J4G 1G4
Tél. : 450 640-1234
Sans frais : 1 800 771-3022
www.messageries-adp.com

**Diffusion hors Canada**
Interforum
Immeuble Paryseine
3, allée de la Seine
F-94854 Ivry-sur-Seine Cedex
Tél. : 33 (0)1 49 59 10 10
www.interforum.fr

# Avant-propos

Le roman *Parfaitement imparfait* se veut un hymne à l'amour. À l'amour entre une femme et un homme qui, à une certaine étape de leur vie, se rencontrent et doivent composer avec leur passé, à la fois très lourd et très riche, et leurs différences. Leur défi est de construire une relation amoureuse empreinte d'ouverture, de tolérance et d'égoïsme altruiste. Solide, viable et durable.

Cette histoire me fut d'abord inspirée de quelques événements réels. Au fil de l'écriture, elle s'est par contre développée et métamorphosée, laissant une place de plus en plus grande à l'imagination. Tel un enfant qui évolue, l'histoire a fortement revendiqué sa propre destinée.

D'abord un scénario de long métrage pour les cinémas soumis aux organismes fédéral (Téléfilm Canada) et provincial (SODEC) d'investissements, cette histoire s'est muée en roman à la suite des refus successifs de ces sociétés gouvernementales. Des refus pour des motifs de critères d'intérêt et de qualité divergents. Comme d'ailleurs tous les projets de long métrage que j'ai scénarisés ou coscénarisés depuis trente ans.

## Un DVD en boni

Issu d'un univers d'images, cinéaste de profession, j'ai tenu à intégrer à ce roman un DVD d'une trentaine de minutes. Un cadeau en quelque sorte que j'offre à mes lecteurs avec grand plaisir.

Avec l'aide de comédiens professionnels et l'apport bénévole d'amis techniciens, j'ai donc produit, écrit et réalisé certaines scènes du roman qui représentent l'essence même d'une de ses trames principales, soit la différence entre l'amour et la sexualité. Pour les besoins de synthèse, les passages choisis diffèrent parfois du roman, mais tous restent en définitive fidèles à l'esprit de l'histoire. Ce DVD est inséré à la fin du livre.

Si vous choisissez de visionner ce court métrage de fiction avant d'ouvrir le livre, vous aurez en tête certaines scènes du roman. En revanche, si vous décidez de le regarder après votre lecture, vous aurez tout le loisir de comparer votre imaginaire au mien. Dans les deux cas, l'expérience sera intéressante et, sans contredit, différente.

Je vous souhaite donc une bonne lecture et un bon visionnement.

JEAN-CLAUDE LORD

L'homme et la femme d'aujourd'hui, tels des architectes, se dessinent un mode de vie personnalisé, en lien avec les valeurs qui leur sont propres. Et, fréquemment, il et elle doivent retourner à la table à dessin. Plus rien n'est figé, aucun choix n'est définitivement arrêté. Mais n'est-ce pas ça, la vie, un éternel mouvement?

# LES RÊVES

# 1

## MICHEL ST-PIERRE

Michel. Soixante ans bientôt. Et pourtant très vivant.

Quand je regarde derrière moi, je réalise que ma vie personnelle et professionnelle n'a jamais été aussi active que depuis que j'ai atteint la cinquantaine. Et j'ai bien l'intention de poursuivre dans cette voie. Liberté 55, la retraite, la solitude... très peu pour moi. Liberté 85? Peut-être... Liberté 90? D'accord!

Je crois avoir une propension naturelle au bonheur. Quel beau cadeau de la vie! Non pas qu'elle ait été exempte de difficultés, de drames et de douleurs, mais les beaux moments furent tellement plus nombreux!

Depuis quatre ans, je vis seul. Ce n'est pas un choix. Les fins de semaine sont parfois désespérément longues. À vrai dire, je suis un peu beaucoup « tanné ». Bien sûr, je vois régulièrement mes enfants et mon petit-fils. J'ai un bon cercle d'amis, quoiqu'un peu restreint, probablement à cause de mon côté sauvage. Des amis qui, étant eux-mêmes très occupés, ne comblent pas ma vie. Pour tout dire, je désire ardemment rencontrer une femme qui partagerait mon quotidien et mes rêves. Dans les bars, les fêtes ? Je ne bois pas, ou si peu, je ne fume pas, je ne prends pas de *dope*. Je n'ai jamais été un *party animal* et je n'ai aucune inclination en ce sens. Un vrai gars plate ! Alors comment ? Où ? À mon âge... Me faut-il compter sur mes amis ?

Plusieurs d'entre eux se sont dévoués et même empressés de me présenter des femmes... intéressantes, gentilles, parfois jolies. Je me suis hasardé, malgré ma timidité et mon manque de confiance dans ce domaine, à en courtiser quelques-unes avec des résultats mitigés. L'étincelle, la flamme, devrais-je dire, n'était pas au rendez-vous pour l'une ou l'autre des parties. Ne me parlez pas des bars, des réunions mondaines, de Facebook ou des sites de rencontres. Au-delà de mes capacités !

Déjà, à l'âge de six ans, je reluquais les petites voisines quand je les trouvais jolies. Cette fascination pour LA FEMME ne s'est jamais démentie par la suite. Quel plaisir ! Dernièrement, assis devant une page blanche, j'ai laissé ma main décrire, un mot à la fois, la femme avec qui je rêvais de vivre.

Fin trentaine, début quarantaine... Eh oui, je fais partie de ces « vieux cochons » qui aspirent à une vie sexuelle avec une jolie femme intelligente, brillante, libre, aimante, active, avec ou sans enfant, avec même la possibilité d'en vouloir d'autres. Un beau programme ! Au fond, pourquoi ne pas demander à la vie ce qu'il y a de mieux tout en gardant en tête que je ne représente pas le meilleur des partis. Regardez-moi ! Des rides, un nez proéminent, des cheveux à bout de souffle... Je ne peux que grimacer devant mon miroir. Mais je me console, il y a certainement pire... mais sûrement beaucoup mieux. Enfin !

Il faut peut-être raconter ici que lors de ces quatre dernières années, j'ai eu une liaison intime avec une jolie jeune femme de vingt-six ans ma cadette, et une proposition d'une autre âgée de vingt-quatre ans. De quoi flatter un ego et redonner confiance... jusqu'à un certain point. Alors, pourquoi ne pas demander aujourd'hui le *jackpot* ? Qui ne risque rien n'a rien, dit-on... Les mystères de l'amour sont impénétrables... Bon, ça suffit les clichés.

Malgré des murs peints en rouge, jaune et orangé, des meubles aux couleurs vives et de larges fenêtres qui laissent pénétrer le soleil, mon logement m'apparaît bien triste en cette fin de journée. En proie à toutes ces considérations, je me prépare un sandwich aux tomates lorsque...

Ah non, pas lui, pas aujourd'hui! Pourtant, il vient bel et bien d'apparaître: mon clone (que je surnomme parfois « le clown »). C'est ma conscience, mon ami, mon âme. Il surgit toujours dans des moments inopportuns pour m'engueuler, me ridiculiser, me faire la morale. Que me veut-il aujourd'hui? Je n'ai pas le cœur à écouter ses discours.

« Tu as l'air fin, là! Tu as flambé ton argent en le donnant à tes enfants, à tes blondes et à tout le monde. En te payant des *trips* extravagants. En te remeublant de façon flamboyante après chaque rupture amoureuse. Plus rien ne t'appartient à ton âge. Tu n'as même plus les moyens de te payer une femme de ménage! »

Je m'empresse de me réfugier dans ma chambre en délaissant mon sandwich. Pas le goût d'argumenter avec l'intrus. Je m'étends sur mon grand lit. Mon endroit de prédilection pour réfléchir. Mais mon clown ne lâche pas prise.

« Toi qui as toujours aimé les femmes plus jeunes, même celles de plus de cinquante ans ne veulent plus rien savoir de toi! »

Faux! ai-je envie de lui hurler par la tête. Mais il est vrai que depuis quelque temps, les succès sont rares, inexistants oserais-je même dire. Merde! Tout ce beau grand lit pour moi tout seul... Peut-être que si je trouve refuge dans mon travail, il va me donner un *break*. Me voilà à l'ordinateur dans mon bureau, en fait au salon, car je ne travaille jamais dans un bureau, aussi beau soit-il... J'aurais cependant dû m'en douter, il n'en a pas fini avec moi.

« Tu supplies les producteurs d'acheter tes scénarios à la con et tu n'y arrives même plus. »

Pourquoi a-t-il si souvent raison? J'aime écrire des scénarios de long métrage pour le cinéma ou des textes pour des séries télévisées. Mais mes sujets sont trop sérieux ou engagés pour les investisseurs et pas suffisamment intellectuels pour d'autres. Résultat : ça ne va pas bien… la disette se poursuit. Malgré tout, je ne lâche pas, j'ai encore des choses à dire, n'en déplaise à tout ce beau monde.

Incapable de me concentrer, je m'attaque à la pile de vaisselle qui traîne. Ça occupera mon corps et mon esprit, j'espère. Eh oui, j'ai un lave-vaisselle, quand même. Faut se gâter un peu dans la vie, surtout lorsqu'on vit seul. Des pâtes collées… ouache !

« Tes petites capsules pseudosociales de moralisateur à la télé ne dérangent même plus tellement elles sont dépassées. »

Pourtant, elles me semblent d'actualité, amusantes, provocantes à l'occasion. Aurais-je déjà perdu contact avec le public ? Non, ça ne se peut pas. Il faudra que j'y réfléchisse. Mon Michel 2, comme j'aime parfois le baptiser, aurait-il raison là-dessus aussi ?

Ah ! j'en ai ma dose pour aujourd'hui. Je vois mon balai qui m'observe, l'air de dire : « Prends-moi, ton plancher crie de saleté ! » Va chier, il n'est pas si sale que ça ! Je retourne me coucher, un oreiller sur le visage.

« C'est ce que le monde pense de toi. Tu es fini ! *Loser !* Continue à rester enfermé, la tête sous l'oreiller. »

C'est plus fort que moi, je lui hurle :

« Arrête ! Arrête ! »

Mon clone arbore un grand sourire avant de quitter ma chambre. Il a encore une fois réussi à me manipuler. Je dois me prendre en main.

—

Je regarde Bianca, ma recherchiste, Louise, ma réalisatrice, et l'équipe technique. Je vais entrer en ondes dans quelques secondes pour livrer ma capsule hebdomadaire. Il me faut retrouver mon énergie et livrer mon propos comme aux beaux jours. Après tout, je suis un « battant », selon l'expression maintenant consacrée.

J'ai hérité de cette chronique parce que, au fil des ans, j'ai réussi à acquérir une certaine notoriété. Et mes amis ont voulu me donner une chance dans une période un peu plus difficile de ma carrière. J'ai réussi des téléséries qui portaient sur des sujets sociaux controversés pour lesquels je me suis attiré nombre de critiques désobligeantes, et cela malgré des cotes d'écoute exceptionnelles compte tenu de la difficulté des thématiques. Je travaille sans succès depuis des années sur une télésérie relatant les dons réels de « guérisseurs ». On s'en reparlera.

Je sens aujourd'hui que Bianca et Louise sont inquiètes, et ce, malgré leur empathie envers moi. Nous sommes en direct. Elles se consultent du regard et m'envoient des ondes positives. Ces vibrations vont-elles se rendre à destination ? La caméra me regarde. Trois, deux, un…

---

## L'ÉLOGE DE LA MANIPULATION

« QUOI DE PLUS MACHIAVÉLIQUE ET MÉPRISABLE QUE DE MANIPULER L'AUTRE DANS SA VIE DE FAMILLE, SA VIE DE COUPLE, SA VIE SOCIALE, SA VIE PROFESSIONNELLE ! OUACHE… ET QUELLE HORREUR, QUELLE FRUSTRATION DE SE SENTIR MANIPULÉ. ON VEUT TUER PARFOIS… J'EN SAIS QUELQUE CHOSE ! LES SCÉNARISTES SONT LES PIRES ET LES MEILLEURS, SI J'OSE DIRE, EN CE DOMAINE. ILS MANIPULENT LES ÉMOTIONS DES SPECTATEURS POUR LEUR PLUS GRAND PLAISIR EN CRÉANT DE TOUTES PIÈCES DES HISTOIRES QUI LES DIVERTIRONT, LES BOULEVERSERONT, LES SCANDALISERONT…

ÉLEVÉE AU RANG DE L'ART, LA MANIPULATION PEUT AUSSI PERMETTRE DE CONVAINCRE, DE VENDRE, D'ÉMOUVOIR POUR RENDRE SERVICE À TOUTES LES PARTIES IMPLIQUÉES. SI, BIEN SÛR, ELLE EST PRATIQUÉE AVEC DISCERNEMENT.

QUE PENSER DES INNOMBRABLES FAÇONS DE MANIPULER SES ENFANTS POUR LEUR ÉVITER DES BLESSURES, DES TRAUMATISMES, DES ACCIDENTS, DES PEINES ?

QUE PENSEZ-VOUS DES MESSAGES PUBLICITAIRES QUI MANIPULENT LES ÉMOTIONS DES SPECTATEURS POUR LES CONVAINCRE D'ARRÊTER DE FUMER, DE NE PAS BOIRE AU VOLANT, DE RESPECTER LES LIMITES DE VITESSE, DE DONNER À DES CAMPAGNES DE CHARITÉ, DE NE PAS BATTRE SA FEMME OU SES ENFANTS, D'AIDER L'AUTRE DANS LE BESOIN ? JE SENS DÉJÀ LES QUESTIONNEMENTS !

ET POURQUOI, TANT QU'À Y ÊTRE, NE PAS MANIPULER LES SENTIMENTS DES PERSONNES AIMÉES POUR CONSERVER LEUR AMITIÉ, LEUR AMOUR ? OUPS ! LA DÉRIVE EST PROCHE. NOUS AVONS TOUS DES EXEMPLES QUI NOUS REVIENNENT EN MÉMOIRE. ALORS, OÙ TRACER LA LIGNE ?

QUE NOUS L'ADMETTIONS OU NON, NOUS SOMMES TOUS DES MANIPULATEURS. VOULEZ-VOUS MANIPULER À DES FINS PUREMENT ÉGOÏSTES QUI NUIRONT À D'AUTRES OU, AU CONTRAIRE, MANIPULER FIÈREMENT AFIN D'AIDER L'AUTRE À TROUVER UN MIEUX-ÊTRE ? PENSEZ-Y !

QUI POURRIEZ-VOUS BIEN MANIPULER AUJOURD'HUI ? SI VOUS AVEZ BESOIN DE CONSEILS... »

~

Je sors du studio en compagnie de Bianca et de Louise.

« C'était *cute*, mais tu n'étais pas top aujourd'hui ! »

Louise acquiesce.

« Il serait temps qu'on te trouve une blonde qui te botterait le derrière. »

Bianca surenchérit.

« Qui pourrait-on bien manipuler pour la bonne cause ? »

Elles m'amusent. Elles savent très bien que je suis ouvert, disponible et impatient de remettre ma vie personnelle sur les rails.

« Je compte sur vous ! »

Je les aime bien. Lorsqu'elles m'ont été présentées par mon ami, le directeur des programmes, la chimie a été instantanée. Nous discutons souvent des sujets à aborder lors de ces capsules. Ce sont des idéatrices qui ne sont pas étrangères au succès de ces chroniques. Nous formons une bonne équipe. Si seulement elles pouvaient s'avérer aussi efficaces comme entremetteuses... On verra bien !

~

## NAÏMA BENSALEM

*Je m'appelle Naïma. J'ai trente-trois ans. En manque ! Quel gâchis ! On dit de certaines personnes qu'elles sont douées pour* le bonheur, douées pour l'amour. Pourquoi pas moi ? Est-ce qu'une seule mauvaise décision doit obligatoirement entraîner tant de conséquences désastreuses ?

Je suis née à Fez, au Maroc, la troisième plus grande ville du pays, dont c'est aussi la plus ancienne cité impériale, gardienne des traditions et de la mémoire hispano-arabe. Mes parents ont émigré au Canada alors que je n'avais que trois ans. Je me suis totalement assimilée au Québec, au grand dam de mes parents, allant jusqu'à épouser, il y a quinze ans, un Québécois pure laine, Luc Tourangeau.

J'observe le père de mes enfants en train de se faire servir son dessert, comme le pacha qu'il est. Le cliché parfait de l'Arabe type issu de l'imagerie populaire occidentale. Quelle ironie du sort ! Et mes enfants... que vont-ils devenir ? J'espère le meilleur pour eux. Et j'aspire tellement à aimer et à être aimée. Pourquoi la vie me prive-t-elle de ce bonheur si simple, si gratifiant ?

Pourtant, j'ai du cœur au ventre. Tout ce que j'ai dû entreprendre pour nous sortir du pétrin, tous les trésors d'imagination auxquels j'ai dû avoir recours pour procurer ce qu'il y a de mieux à mes enfants et à leur père. J'ai besoin d'amour, cruellement besoin d'amour.

Je ne crois pas être trop moche. Mon corps porte bien entendu les marques de trois grossesses, mais regardez-moi... Il y a mieux, mais je ne suis quand même pas un laideron avec mes longs cheveux noirs. Il y a pire, j'oserais dire, bien pire.

J'ai décrit tout dernièrement l'homme de mes rêves. La beauté physique est secondaire. Je veux un homme bon, intelligent, aimant, généreux, qui m'amènera ailleurs dans la vie, qui me fera découvrir la beauté des gens, la beauté des choses, qui aimera mes enfants et que mes enfants aimeront. Tout un contrat !

Comme je suis perfectionniste, parfois à l'excès, la quête pourrait s'avérer longue et difficile. Mes atouts : mère de trois enfants, d'origine marocaine, à la recherche de l'âme sœur. Wow ! Composez sos j'écoute ! Je ne peux m'empêcher de rire de moi-même. J'ai un bon sens de l'autodérision. Vous pouvez compter sur moi pour chercher cet homme idéal avec fougue, rage et désir.

Ma maison est sombre, grande, avec de petites pièces. Chacun des enfants possède sa chambre. Je les regarde, terminant leur dessert. Ils ne sont pas heureux. Philippe, douze ans, joue à son jeu électronique, un PSP dernier modèle. Il ne veut rien savoir. Cheveux noirs épais et frisés à la Charlebois. Beau comme un dieu, gossant comme un diable.

C'est l'heure de desservir. Mes deux filles, Laurence et Alexia, âgées de quatorze et huit ans, se lèvent pour m'aider. De longs cheveux noirs magnifiques et des visages d'ange trop souvent assombris par nos querelles conjugales. Philippe demeure assis sur son cul avec la bénédiction de son père, j'en suis convaincue.

« Philippe, peux-tu nous aider, s'il te plaît ? »

Il ne réagit pas.

« Philippe ! »

Il ne bronche toujours pas. Il m'exaspère. Laurence intervient.

« Arrête de faire chier maman ! »

Luc s'interpose sciemment pour me court-circuiter.

« Les enfants, grand-papa nous attend. On s'en va. »

Les filles délaissent aussitôt leur tâche. Telle une dynamo, Philippe quitte la table en renversant le pot de lait sans s'en soucier. Luc me fixe d'un regard dur.

« Ça ne me tente pas de te voir la face à soir ! J'ai besoin d'air ! »

Laurence et Alexia me regardent, hésitantes. Je leur adresse un sourire de réconfort. Puis, je me retrouve seule. Luc a toujours su comment exploiter ma vulnérabilité par rapport aux enfants. Très intelligent, il les manipule. En fait, il cherche à les éloigner de moi. Mais j'avoue moi-même ne pas leur tracer un beau portrait de leur père. Pourquoi la vie nous a-t-elle conduits là ? Leur amour pour leur papa et leur maman est constamment déchiré, écartelé. Par moments, je me sens si impuissante que le découragement m'assaille.

Je m'assois. Il n'en fallait pas davantage à ma compagne de vie, mon clone, ma conscience, pour montrer le bout de son nez. J'en serai quitte pour une autre séance de fustigations.

« Luc a raison. Tu es en train de ruiner ta vie et celle de ta famille. »

Je ne veux pas en entendre davantage. Épuisée, je me réfugie dans mon lit, les yeux grands ouverts, prisonnière de mon malheur. Je suis très douée pour m'apitoyer sur mon sort. Allez, continue... Je sais que tu ne me lâcheras pas comme ça.

« Il n'y a plus personne qui t'aime. Pourquoi ? Parce que tu ne dégages plus rien ! »

Je pars vers le salon, je m'effondre dans un fauteuil, je contemple avec plaisir un coq en verre soufflé lumineux et très coloré dans des tons de rouge, de jaune, de bleu. Vraiment très beau. J'y ai mis beaucoup de temps et de cœur.

« Ton petit job à la boutique, c'est juste un prétexte pour fuir ta vie. Tu crées du vide. Tu n'as pas de couilles ! »

Je bondis et, dans un geste de frustration, j'envoie valser le coq, qui éclate en morceaux. Dans mon dos, j'entends rire Naïma 2, comme je la surnomme parfois, ce qui ne fait qu'augmenter ma colère.

Elle me poursuit jusque dans la chambre bordélique de mon aînée, Laurence, où, tant bien que mal, à travers mes larmes, j'esquisse des tentatives de rangement.

« Tu es en train de perdre tes enfants et ce n'est pas ton psy qui va réussir à te les redonner. »

Là, j'en ai plein le cul ! Je hurle !

« Assez ! Assez ! Assez ! »

Mon clone me nargue d'un large sourire. Elle a raison. Peut-être même ai-je attendu trop longtemps.

—

Enfin, mon dernier rendez-vous chez le psy. Après quatre ans de séances hebdomadaires. Sans lui, je crois que je n'aurais pas survécu. Je regarde cet homme d'une quarantaine d'années assis en face de moi. Quelle compréhension! Je n'ai jamais senti de jugement de sa part, contrairement à ce que je perçois chez ma mère. Il me regarde toujours avec la même attention, la même compassion.

Un jour, je me suis retrouvée en état d'arrestation pour avoir volé des tubes de rouge à lèvres et deux paquets de gomme à la pharmacie du coin. Devant le juge, j'étais terrifiée, morte de honte. J'ai menti haut et fort au tribunal en affirmant qu'il s'agissait d'un oubli. J'ai été acquittée. Le juge m'avait-il crue ou avait-il eu pitié de moi? Je ne le saurai jamais. Geste de révolte inconscient né de la frustration, du désespoir devant l'échec de ma vie de couple et de ma vie de famille et du profond vide qui m'habitait. Ce fut un électrochoc salutaire. Quelques jours plus tard, j'étais assise dans le fauteuil d'un psy.

Aujourd'hui, je suis à la fois très heureuse et infiniment triste de le quitter, tout en espérant ne plus avoir besoin de le revoir.

« Il ne faudrait pas vous imaginer maintenant que vous avez tout réglé.

— Je sais, mais vous ne pouvez pas savoir à quel point j'ai le goût de rencontrer d'autres hommes, de remplir ma vie à nouveau. Je crois sentir qu'ils commencent à me regarder différemment maintenant que j'ai fait mon ménage intérieur. Un en particulier, un médecin juif, un bon client de la boutique. Il ressemble comme deux gouttes d'eau à Al Pacino. »

Mon psy est inquiet.

« Votre mari est-il au courant? »

Je réponds, très sérieuse:

« Je n'ai pas envie de me retrouver à l'hôpital.

— Il serait plus prudent d'attendre d'être vraiment sortie de la maison.

— Encore deux mois! Je ne suis plus capable. J'étouffe! »

～

Depuis quelques semaines, je reçois la visite de « mon » James à la boutique de verre soufflé où je travaille. Mi-quarantaine, tel-

*lement beau, yeux bruns malicieux, ténébreux, sensualité à fleur de peau. Séduisant, raffiné, gentil, chaleureux, souriant. Il vient soi-disant acheter des cadeaux d'anniversaire. Je sens qu'il ne s'agit là que d'un prétexte. Je crois que je n'aurais qu'à lui ouvrir la porte... ce qui ne saurait tarder.*

*À la maison, l'enfer perdure. Luc ne me regarde plus. Ouf! Il ne se montre même plus à l'heure des repas. L'atmosphère est insupportable quand il est là. Chaque fois que je veux sortir, il s'arrange pour être absent et me forcer à rester « pour les enfants ».*

*Je soupçonne que Luc, un manipulateur hors pair et un menteur indécrottable, me prépare une arnaque. Comment avons-nous pu en arriver là, lui et moi, à faire ressortir ainsi le pire de l'un et de l'autre ? Mais j'espère en l'avenir. Mon clone me laisse tranquille, je dois donc être sur la bonne voie. À moins que...*

—

Quand ça ne va vraiment pas bien, je vais voir mon amie France.

« Qu'est-ce qui ne va pas, mon Mike ? »

En fait, elle me pose cette question pour la forme puisqu'elle connaît très bien la réponse. Elle est mon amie depuis près de vingt ans. Elle possède des « dons » de voyance et de guérison hallucinants. Vous pouvez en rire. Je m'en fous. Trop d'événements m'ont confirmé l'authenticité de ses facultés.

C'est une petite femme, jolie, musclée, dynamique, la jeune quarantaine, dotée d'un sens de l'humour décapant ; infatigable, ayant fait des études en physique nucléaire et physique applications médicales. Autrement dit, ce n'est pas une *twit*. Elle est plus souvent en Amérique du Sud qu'à Montréal. Pour les plus démunis.

Elle se tient derrière moi. Elle exécute, sans me toucher, une série de gestes et de mouvements de « balayage énergétique » qui pourraient ressembler à ceux d'une sorcière d'une autre époque. Je ne suis pas un « sensitif ». Habituellement, lorsqu'elle me « travaille », je ne sens rien. Mais aujourd'hui, je suis saisi.

« C'est la première fois en vingt ans que je ressens physiquement quelque chose quand tu me traites. Comme une énorme lourdeur qui est descendue de ma tête jusqu'aux pieds, une pression qui s'évacuait...

— J'ai effacé plusieurs de tes mémoires qui te compliquaient la vie et que tu charriais depuis ta naissance.

— Tu aurais pu le faire plus tôt ! »

Elle me sourit avec beaucoup d'affection.

« Ça équivaut à quinze ans de psychanalyse. »

⁓

Nous sommes maintenant attablés dans un bar où l'ambiance est feutrée. Le traitement m'a énergisé. Je suis d'excellente humeur. Je me plais souvent à lui tendre une perche pour qu'elle me révèle quelque chose sur mon avenir immédiat. Elle n'a pas toujours eu raison par le passé, mais sa moyenne au bâton est tout de même impressionnante.

« Tu m'avais dit, il y a six mois, que je rencontrerais quelqu'un, une femme. Ton *deadline* est presque terminé. »

Elle se concentre et fixe un point juste à côté de moi. Après un bref moment, elle sourit et acquiesce. Je suis suspendu à ses lèvres et ça l'amuse.

« Qu'as-tu vu ?

— Je la vois... Elle n'est pas loin !

— Décris-la-moi !

— Ce sera une belle surprise. Elle est d'origine arabe... musulmane, même, je crois... »

Je ne suis ni xénophobe ni raciste, mais cette réponse me surprend. France enchaîne :

« Elle est énergique, allumée, super intelligente et... »

Elle me fixe en souriant.

« ... pas mal belle. »

L'espoir me revigore.

« Est-ce que ça va durer, cette fois-là ? Je ne veux plus avoir à recommencer. »

Elle me regarde droit dans les yeux.

« Ça dépendra de vos choix. Mais je vous vois encore ensemble dans cinq ans.

— Wow! C'est déjà ça. Et après?

— Je t'avertis, ça ne sera pas facile. Elle traîne un lourd passé. »

Elle éclate de rire.

« Elle est jeune, trop jeune pour toi. Tu vas avoir à patiner pas à peu près, mon gars. Un conseil : vas-y doucement. Et puis, regarde-moi dans les yeux, plus d'aventures ou je te coupe les gosses! »

—

*C'est ma fin de semaine de congé. Ça tombe bien. C'est ma soirée de conventum. J'avais très envie de revoir mes copines du secondaire après quinze ans. Les Marie, Évelyne, Caroline, Emma... et peut-être Jérôme, mon fantasme d'adolescente. A-t-il bien vieilli? Mieux que moi?*

*J'étais si heureuse de venir et pourtant... Elles sont toutes devenues notaires, avocates, médecins, souvent mariées à de riches professionnels ou industriels. Elles semblent toutes avoir réussi leur vie, arborant leurs succès avec une pointe de snobisme très désagréable. Je me sens étrangère, pas à la hauteur.*

*Heureusement, il y a Bianca, ma meilleure amie de l'époque. Elle est recherchiste pour plusieurs émissions de télé. Les retrouvailles sont délicieuses. Comme si nous nous étions quittées la veille. Elle est mariée, a trois petits et un mariage qui bat de l'aile, tout comme moi. Mais notre échange est rapidement interrompu par l'arrivée de « mon » Jérôme. Il a conservé un certain charme. Il a mieux vieilli que moi.*

*Nous engageons la conversation. Il me cruise, on dirait, et j'en suis flattée. Il est divorcé et n'a pas d'enfant. Nous buvons un verre, deux verres, trois verres... Ma tolérance à l'alcool est semblable à celle d'un enfant, c'est-à-dire nulle. Je me sens faiblir. Je résiste parce que j'ai peur, mais je sens que mes défenses* s'amenuisent de minute en minute. En fait, elles tombent l'une après l'autre. J'espère qu'il m'invitera chez lui pour terminer la soirée. Il l'a senti. Il habite tout près.

Aussitôt entrés chez lui, nous nous embrassons, nous nous caressons. Il y a longtemps que ça ne m'était pas arrivé. Je ne veux pas le décevoir. Nous nous déshabillons. Je suis très pudique. Sur le point de me montrer nue, j'hésite. Ce sera la première fois que mon corps sera exposé au regard d'un homme autre que celui qui fut mon mari pendant quinze ans. Je m'allonge sur le lit. Je ferme les yeux. J'enlève vite mes sous-vêtements. J'ose le regarder. Ses yeux fixent mes seins. Non, je n'ai plus dix-huit ans. Mon corps porte les marques de trois grossesses, une césarienne, l'allaitement... Je suis gênée, mal à l'aise, envahie par cette peur de ne plus être à la hauteur. Comme si chacun de mes accouchements avait fait disparaître ce qu'il y a de plus séduisant chez la femme que je suis devenue. À quoi pense-t-il? Je crains de voir ramollir son corps pourtant rempli d'ardeur. L'idée d'être rejetée m'est intolérable.

Il s'approche. Je panique. Il s'exclame sur ma beauté. Je n'en crois rien. Je me relève d'un bond en balbutiant des excuses. Je ramasse mes vêtements à la hâte. Je m'excuse encore. Je ne suis pas prête. Très gentleman, il se relève à son tour. Mais je suis déjà dans le corridor, me dirigeant à toute vitesse vers la porte d'entrée. Il n'a pas le temps de se rhabiller. Il me suit, charmant, n'y comprenant rien. Une vraie scène de vaudeville, dont je rirais si je n'en étais pas la victime honteuse. C'est ça! J'ai terriblement honte et je m'enfuis, toujours en m'excusant, sans oser le regarder. Je m'enfuis. Pitoyable!

—

Bianca veut savoir, tout savoir, sur la fin de ma soirée avec Jérôme. À la conclusion de mon récit, elle s'étouffe en riant avec sa gorgée de café et devient le centre d'attraction dans ce petit resto de la rue Saint-Denis. Son rire est si communicatif qu'il m'entraîne à sa suite. Deux vraies folles ! Quelle chance de pouvoir dédramatiser cette rocambolesque mésaventure !

Bianca s'arrête subitement et me regarde. Je sens qu'elle mijote un « plan de nègre » (expression de mon enfance devenue raciste avec le temps) comme dans le bon vieux temps. Elle me plongeait toujours dans des situations folichonnes.

« Je viens d'avoir un flash. J'ai peut-être quelqu'un à te présenter.

— Es-tu certaine que tu lui veux du bien ?

— C'est fou, mais ça pourrait marcher.

— Tu perds ton temps. Je fantasme sur mon James. »

Mais elle a piqué ma curiosité.

« Qui est-ce ?

— Michel St-Pierre. Le regardes-tu à la télé des fois ?

— Mais il a... ?

— Il a tout près de soixante ans.

— Es-tu malade ? Ça baise encore à cet âge-là ? »

Elle rigole.

« Tu le lui demanderas ! »

Elle redevient sérieuse.

« Je te le dis, il est cool. Il t'irait bien.

— Voyons donc ! »

Dans le fond, qu'ai-je à perdre ? Je me dois d'occuper mes week-ends de congé.

« Bianca, je ne peux pas dire non à ce que je ne connais pas. Go ! Au pire, on deviendra amis. »

———

En réunion de préproduction, nous discutons des prochains sujets de mes capsules.

« As-tu trouvé les archives sur mère Teresa ? »

Bianca me tend un DVD. Elle veut toujours connaître à l'avance le contenu de mes prochaines chroniques. Mais je refuse. Probablement que les patrons du réseau s'impatientent. En tant que loose cannon, je ne les laisserai pas me censurer, et ça, même si ça me coûte mon poste. Je plancherai sur mes autres projets. Je n'en manque pas.

Bianca me détaille de façon étrange. J'ignore ce qui lui trotte dans la tête, mais la connaissant, le chat devrait sortir du sac sous peu. Elle hésite, et n'y tenant plus, elle me pose LA question.

« Es-tu ouvert à rencontrer quelqu'un ? »

Je ne l'attendais pas.

« Bien sûr !

— J'ai quelqu'un à te présenter.

— Une Arabe musulmane ? »

Elle est bouche bée. Je rigole. En fait, j'ai tenté ma chance. Il faut croire que j'ai visé juste. Mon amie France m'étonnera toujours.

« Comment as-tu deviné ? Viens pas me dire que tu lis dans mes pensées maintenant ?

— Ce serait trop long à t'expliquer.

— Y a peut-être juste un problème, elle a mon âge... trente-trois ans, en fait.

— T'appelles ça un problème, toi ? As-tu une photo ? »

Non, elle n'en a pas. Elle ne porte pas le hidjab, me confirme-t-elle. Ouf ! Je prends ses coordonnées puisque c'est moi qui devrai entrer en contact avec elle, Naïma Bensalem. J'accepte. Mais ça me donne tout de suite une idée. Pourquoi ne pas faire l'éloge de l'islam lors de ma prochaine chronique ? Cette Naïma risque de regarder l'émission, histoire de sonder le terrain. Après tout, j'aime bien l'islam... enfin, un certain islam... C'est une chance à prendre.

—

*Tous les soirs, depuis des mois, je vais regarder mes enfants dormir avant de descendre me coucher au sous-sol. Mon petit Philippe, qui me donne tant de fil à retordre, tellement semblable à son père. Laurence et Alexia qui dorment comme des anges. Qu'adviendra-t-il d'eux au sortir de cette tourmente ? Ai-je attendu trop longtemps avant de me décider au divorce ?*

*Laurence ouvre les yeux, elle me sourit. Jamais un sourire ne m'a fait si chaud au cœur. Je t'aime. Je vous aime... Et si je suis parfois aussi gossante avec vous, c'est parce que je veux vous éviter de répéter mes erreurs. Mon plus cher désir est que vous réussissiez votre vie.*

—

*Il ne m'a pas encore téléphoné malgré, aux dires de Bianca, son acceptation d'un rendez-vous. Peut-être recule-t-il? Une Arabe, musulmane en plus. Pourtant, s'il savait.*

*Je me suis isolée dans le petit bureau de la maison pour regarder sa chronique télé. Les enfants jouent dehors et Luc est absent, comme d'habitude.*

—

J'espère qu'elle me regarde. Ce serait un premier contact. Je lui dédie cette capsule. Trois, deux, un... Bianca va bien rigoler.

—

### L'ÉLOGE DE L'ISLAM

« L'ISLAM! LA RELIGION DE L'AVENIR! LA RELIGION EN EXPANSION SUR LA PLANÈTE! LA RELIGION DONT TOUT LE MONDE PARLE! LA RELIGION « IN »! LA RELIGION QUE CRAINT TOUT L'OCCIDENT! LA RELIGION QUI PROGRESSE MÊME AU QUÉBEC! LA RELIGION CÉLÈBRE POUR SON PORT DU FOULARD ISLAMIQUE ET DU VOILE CHEZ LES FEMMES! BRAVO ALLAH! BELLE JOB! ÇA VA BIEN, TES AFFAIRES!

QUE DEVIENDRAIT LA VIE DE TOUTES CES CENTAINES DE MILLIONS DE MUSULMANS QUI VIVENT DANS UNE PAUVRETÉ ET UNE MISÈRE IRRÉVERSIBLES SI LEUR CROYANCE AU MESSAGE D'AMOUR ET DE VIE ÉTERNELLE DE L'ISLAM NE NOURRISSAIENT PAS LEUR BESOIN IMPÉRIEUX D'ESPOIR COMMUN À TOUT ÊTRE HUMAIN? QUE DE VIOLENCES ET DE GUERRES SERAIENT ALORS AU MENU SANS CETTE SPIRITUALITÉ SI SOUVENT BAPTISÉE OPIUM DU PEUPLE!

MAIS, EST-CE QUE JE PEUX TE DEMANDER, ALLAH, QUE CETTE MINORITÉ D'EXTRÉMISTES NE SE SERVE PAS DE TOI POUR IMPOSER UNE « RELIGION » QUI, ENTRE LEURS MAINS, TIENT DAVANTAGE D'UNE CULTURE D'OPPRIMÉS ET DE *POWER TRIP* QUE DE TES PRÉCEPTES D'AMOUR?

Tant que l'immense majorité des musulmans vivra de paix, d'espoir, d'égalité et de justice, je serai de ton bord, mon Allah! Avec tous les accommodements raisonnables que tu veux!

Mais travaille un peu plus sur les petits Ben Laden de ce monde. On en a tous besoin. Inch' Allah!»

—

*Je souris. Ça me fera vraiment plaisir de le rencontrer, même si...*

# La rencontre

## 2

*Je lui ai donné rendez-vous à l'entrée du Café du Nouveau Monde. Un client de la boutique m'a donné (je crois qu'il voulait s'en débarrasser) deux billets pour l'opéra* Don Pasquale. *Je connais peu d'hommes de soixante ans, mais je me dis qu'à cet âge, on doit probablement aimer l'opéra. J'ai pris soin de me vêtir de façon disons classique : une jolie robe, pas trop courte ni trop longue et de couleur vive, un décolleté très conservateur, et je me suis maquillée (il faut s'aider dans la vie) mais pas trop... Une blind date est toujours énervante même si on a peu d'attentes. J'espère ne pas le décevoir, peu importe ce qui découlera de cette rencontre.*

—

Je l'attends dans le hall d'entrée. En ce début de février, c'est ensoleillé et doux. C'est de bon augure, je crois. J'ai pris un soin particulier à m'habiller pour ne pas avoir l'air trop vieux. J'ignore si c'est réussi. Autant j'ai un bon jugement pour évaluer l'harmonie des tenues vestimentaire des autres - je devrais dire des femmes -, autant je suis nul lorsqu'il s'agit de moi.

Histoire de gâcher ma soirée, mon clone refait surface.

« Tu es assez fou pour te rembarquer à ton âge après tout ce que tu as vécu ? Je te souhaite qu'elle soit moche.

— France m'a dit qu'elle était très belle. Tu te souviens de ce que j'ai écrit en décrivant ma future blonde ? »

Il se moque.

« *In your dreams !* »

C'est ça, disparais, abruti ! Je regarde les femmes seules, dans la trentaine, qui arrivent et qui semblent chercher quelqu'un. France m'a dit qu'elle était belle, mais comme le commentaire vient d'une femme, j'ai mes doutes.

Une grassouillette, pas très jolie, qui pourrait avoir le type méditerranéen. Elle me regarde. Merde. Elle me sourit. Je lui rends un sourire de circonstance. Elle passe son chemin. Elle doit m'avoir déjà vu à la télévision. Je l'ai échappé belle.

Une petite énervée à la face de grenouille. Elle passe tout droit. Tiens, en voilà une autre. Probablement seule. Elle attend. Elle cherche du regard. Vraiment pas belle. Pas très typée cependant. Mais on ne sait jamais. Nos regards se croisent. Je me sens quasi obligé de m'approcher alors que j'aurais envie de fuir.

« Êtes-vous Naïma Bensalem ? »

Ma foi, elle est insultée.

« Excusez-moi ! »

Je m'éloigne, heureux.

Je sais, je sais, j'ai un côté macho. Je veux qu'elle soit belle. J'ai toujours été fasciné par la beauté des femmes. Cette attirance ne s'est jamais démentie au fil des ans, bien au contraire.

Oh non ! Oh oui, je veux dire ! De longs cheveux noirs ondulés. Pas très typée. *So what ?* Elle se dirige vers moi en souriant. Et quel sourire ! Elle n'est pas belle, elle est tout simplement magnifique. L'air tellement jeune en plus. C'en est intimidant. Comment croire qu'elle est une mère de trois enfants ? Je n'ai aucune chance. Merci mon dieu de me la présenter, même si vous n'en avez rien à cirer. J'entends mon clown ricaner derrière moi.

« Papi s'en va à la chasse ?

— Papi va au moins passer une belle soirée. Ta gueule ! »

Nous nous serrons la main. Je suis déjà subjugué et, par conséquent, très nerveux. Si le sourire est la lumière de l'âme, Naïma Bensalem est certainement une personne qui éclaire tout sur son passage. Elle a un visage très harmonieux. C'est toujours ce que je regarde en premier, le sourire et le visage. Et une belle silhouette, de belles jambes… Merci la vie ! France, tu avais raison encore une fois. J'espère seulement que tu auras raison sur tout le reste.

—

Un petit apéro avant le spectacle. Le contact est facile, les sourires au rendez-vous. Souviens-toi, Michel, tu es toujours pressé, mais là, il faut y aller mollo. J'ai compris. Au-delà du *small talk* obligé, je suis envoûté. Contrairement à mes *blind dates* précédentes, je sais, je sens que j'ai envie d'aller beaucoup plus loin avec elle. Elle m'intrigue, me fascine. Je ne peux détacher mon regard de son visage, détaillant chacune de ses expressions, savourant chacun de ses sourires, de ses rires. Je suis dans une bulle où personne d'autre que Naïma Bensalem n'existe. Je sens que je pourrais en devenir gaga très rapidement.

—

*Il est direct sans être agressant. Un regard profond, chaleureux, neuf. Il a un bon sens de l'humour. Je sens qu'il aime me faire rire et je ris de bon cœur. Il ne me quitte pas des yeux. C'est plutôt flatteur ! Il sourit toujours, pétillant de vie. Je m'abandonne au jeu. Nous pourrions probablement devenir amis. Il est temps d'aller voir* Don Pasquale. *J'espère qu'il aimera.*

—

Un opéra sauce western. J'HAÏS l'opéra. Je lui jette de fréquents coups d'œil que je veux discrets. Je n'ai qu'une envie : sortir et me retrouver seul avec elle dans un endroit tranquille où nous pourrons causer. Mais je vais endurer ces virtuoses de la voix jusqu'au bout s'il le faut. Le purgatoire avant le ciel.

—

*Le spectacle est nul. Je n'ai qu'une envie : quitter cette salle. Je sens ses regards obliques qui se veulent discrets. Pas subtil, mais amusant. J'ose croiser ses yeux à l'occasion et lui sourire. Se peut-il qu'il aime cette platitude ? Merde ! Cela en dirait long sur nos affinités.*

Premier entracte. Nous nous regardons. Nous nous sourions. Nous nous comprenons. Mais nous hésitons. Nous tirons à pile ou face pour laisser le destin décider. Nous gagnons et hop, « bye bye *Don Pasquale* » !

—

Un bar où la musique douce favorise les conversations. Nous pouvons enfin rassasier notre soif d'apprendre l'un de l'autre. D'abord les informations.

« *J'ai deux sœurs plus jeunes et un frère aîné. Mon père est mort il y a dix ans. Je suis musulmane non pratiquante et…* »

Je suis tout oreilles.

« *… le port du foulard islamique ne m'a jamais attirée.*

— J'ai encore de bonnes relations avec la mère de mes trois filles. Nous avons vécu ensemble vingt-cinq ans. Un record dans cette ère moderne. J'ai partagé cinq autres années avec une avocate devenue une amie depuis notre rupture, il y a quatre ans.

— *Je vis encore avec mon mari…* »

Je sens mon sourire se figer.

*Je remarque son inquiétude. Il me faut clarifier :*

« *Ça fait quatre mois que nous sommes séparés… mais, en réalité, ça fait déjà quatre ans !*

— Tu n'as pas encore fait ton ménage ?

— *J'ai commencé à nettoyer "mon intérieur" il y a quatre ans. Mon psy m'a dit que je suis devenue propre, propre, propre. Déçu ?* »

Comment pourrais-je l'être ? Cela fait des heures que nous discutons et pourtant je n'ai pas du tout envie que ça se termine.

« *Masochiste ?*

— Je serais plutôt... épicurien. »

Nous nous observons. Nous nous étudions.

« *J'avais peur que tu sois prétentieux, un peu snob... J'ai bien fait de venir.*

— Donc je peux t'inviter pour... demain ? »

*J'éclate de rire. Je me tais ou je lui avoue ? Je le sens telle-ment prêt à pousser l'aventure plus loin. Je ne voudrais pas qu'il se méprenne. J'opte pour la vérité. D'abord un petit détour.*

« *Demain, je m'occupe de mes enfants...*

— Quand, alors ?

— Je te rappellerai... »

*J'hésite encore. Je sais que je vais lui faire de la peine. Mais pas besoin de lui dire que je suis déjà amoureuse.*

« *Pour être honnête, il faut que je te dise que je vois déjà quelqu'un... »*

J'essaie de faire bonne figure. Mais le choc est brutal. Mon clone n'ose pas se manifester. Heureusement pour lui, il n'en serait pas sorti indemne.

—

*Au cours des derniers jours, James et moi avons échangé des courriels. Nous avons lunché ensemble. Il est juif anglophone, cultivé, riche, charmeur. Des qualités que Luc, le père de mes enfants, a perdues depuis longtemps. Avec moi, du moins. En réalité, je ne me souviens plus s'il les a déjà eues.*

*Je suis conquise. James m'emmène ailleurs, dans un autre univers. J'apprends. Si ce n'est pas ça l'amour, je ne sais plus ce que c'est. Même si, parfois, je me fais penser à une héroïne d'un roman Harlequin.*

*La veille de mon rendez-vous avec Michel, j'ai rencontré James dans un chic restaurant asiatique. Un repas qui s'est* poursuivi tard en soirée. Il a commenté le courriel que je lui avais fait parvenir à l'aube.

« Que voulais-tu dire quand tu m'as écrit : Should we be lovers ? Lovers *comme dans amants ou comme dans amoureux ? »*

Il m'a pris la main, l'a caressée et embrassée.

« Toujours aussi directe ? »

Tout au long du repas, je me parlais. Je ne voulais pas avoir l'air idiote comme avec l'infortuné Jérôme, abandonné chez lui dans son plus simple appareil. S'il m'aime comme je le pense, les imperfections de mon corps ne devraient pas l'attiédir, le repousser ni altérer ses sentiments à mon endroit. Je le dis, mais je ne le crois pas vraiment.

Il avait tout prévu. Une suite dans un hôtel de luxe. Champagne au lit. Sauf qu'au moment de faire l'amour, j'étais tellement stressée que j'ai gelé. Il l'a bien senti. Il était tendre, attentif, doux dans ses caresses, j'oserais même dire amoureux. Ma raison me disait que je devrais savourer le plaisir de ses mains sur mon corps, mais j'étais trop tendue pour m'y abandonner. Je me maudissais de ne pouvoir jouir du moment présent. Je me consolais en me répétant que ce serait meilleur la prochaine fois. Je n'aspirais déjà qu'à un renouvellement. Nous nous sommes quittés au petit matin, le regard rempli de promesses.

Pauvre Michel. Mauvais timing ! Je ne pouvais lui laisser entrevoir un avenir autre que celui de l'amitié. Je l'ai senti déçu, très déçu, même s'il ne voulait pas le laisser paraître. Il souhaitait quand même une autre rencontre. J'ai conclu en lui promettant de le rappeler.

⸺

Voici mon clone, ma charmante harpie qui rapplique, toujours désireuse de gâcher mon plaisir.

« Réalises-tu ce que tu as fait ?

— J'ai fait l'amour avec un homme que j'aime. »

Elle m'horripile, celle-là, quand elle s'y met. Surtout avec son ton si bête...

*« T'as baisé...*

*— Je n'ai pas baisé, j'ai fait l'amour.*

*— Tu étais tellement en manque que t'as imaginé que c'était de l'amour. Tu as* BAISÉ, *sans protection, en plus, à ton âge ! Sais-tu avec combien de femmes ce James a baisé auparavant ?*

*— Je n'ai pas osé...*

*— Combien de cochonneries il a pu te transmettre ? »*

*J'avoue qu'elle marque un point, vu la recrudescence des* ITS[1], *mais je refuse d'y penser... jusqu'à la prochaine fois.*

—

Au sortir de ma soirée d'opéra, j'étais déçu, oui, mais surtout furieux. J'ai été victime d'un coup de foudre cul-de-sac. J'ai senti que plus la conversation avançait, plus j'étais impuissant. Elle était amoureuse de son James. Je la voyais assise dans un resto chic, face à lui, le dévorant des yeux, lui tenant la main. Crime de lèse-majesté : ils dégustaient des sushis, ma nourriture pré-férée... avec du Dom Pérignon ! Quel culot !

« Pourquoi tu ne me l'as pas dit qu'il y avait quelqu'un dans sa vie ? »

J'entends mon amie France tenter de désamorcer ma frus-tration en rigolant au téléphone.

« Je ne t'ai jamais dit que ce serait facile.

— Et qu'est-ce que je dois faire ?

— Travaille fort et sois créatif. Je ne peux pas l'influencer à son insu et tu le sais. »

Ses facultés psychiques lui permettent souvent de s'infiltrer dans les pensées de quelqu'un et de l'influencer. Mais elle ne peut procéder ainsi sans son consentement ; ce serait un viol.

La patience n'est pas ma vertu cardinale. Or la vie aurait dû m'apprendre que chaque chose arrive en son temps. Je ne veux rien savoir de ces phrases toutes faites, cependant.

---

1. Infections transmises sexuellement.

—

Je descends au rez-de-chaussée par l'escalier intérieur qui relie nos deux étages. Je frappe. Caroline m'ouvre la porte. Elle était en train de lire ses journaux du samedi.

Caroline. La dernière de mes ex. Mi-quarantaine. Avocate. Nous avons acheté ce duplex ensemble et quand nous nous sommes séparés, je lui ai vendu mes parts – ma situation financière l'exigeait –, et depuis, j'habite le haut en tant que locataire.

Voyant mon air dépité, elle m'accueille avec un sourire narquois.

« Ça n'a pas fonctionné ? Elle n'était ni assez belle ni assez jeune pour toi ?

— Tu peux bien rire. Oui, elle était tout ça...

— Ben alors ?

— Pas libre !

— T'a-t-elle dit qu'elle ne voulait plus te revoir ?

— Non !

— Je t'ai déjà connu plus persévérant. »

Je me trouve tellement bébé parfois ! Peut-être qu'à mon âge j'ai déjà amorcé le retour à l'enfance. Non, non et non. Pas déjà !

Caroline m'adresse un sourire affectueux. Elle aimerait bien que je trouve la femme idéale. Amitié sincère ou culpabilité parce qu'elle m'a quitté pour un autre ? Je préfère la première explication.

« Je suis incapable de travailler.

— Tu sais ce que tu as de mieux à faire dans ce temps-là ? »

Oui, je le sais. Frédéric, mon petit-fils de quatre ans, avec qui j'ai développé une relation particulière, saura ramener ma bonne humeur.

—

L'été dernier, je suis allé le prendre chez ma fille, Marie-Ève, pour l'emmener à la Ronde. Quel plaisir de le regarder tripper, de le transporter dans mes bras d'un manège à l'autre, le Carrousel, la Grenouille, le Mille-Pattes, la Grande Roue, la Pitoune, les Petits Bateaux. Chaque fois que le bateau heurtait le rebord, je poussais un petit cri qui le faisait rire aux éclats. Il en redemandait, il voulait recommencer, la Pitoune en particulier, où les longues files d'attente auraient pourtant découragé n'importe qui d'autre.

Assis à l'ombre, nous dégustions nos sandwichs roulés au pain pita et notre jus. Frédéric a alors levé les yeux vers moi.

« Merci, papi ! »

Touché, je l'ai embrassé sur le front.

Fatigué, il m'a demandé de le porter. Il a collé sa tête dans mon cou. Quel bonheur de le sentir tout contre moi, fragile, petit, confiant, aimant.

Ma première ex, Élizabeth, la mère de mes trois filles, se plaisait à raconter qu'en voyage, je regardais les jolies femmes et les enfants. *Fuck* les monuments et les musées !

Au moment de quitter le parc d'attractions, Frédéric a rejeté ma main et est resté planté au milieu de l'allée. Il voulait rester. J'ai eu beau m'éloigner en faisant mine de l'abandonner, il n'a pas bronché. Je suis retourné le chercher. Il a alors accepté de me suivre à la stricte condition de revenir très bientôt. Comment résister à sa petite moue et à son sourire en entendant cette exigence ?

Cette fois-ci, je l'emmène dans un aréna. Au préalable, je lui ai acheté des patins. Une première pour lui. En milieu de semaine, l'aréna est peu fréquenté. Un avantage ! La partie centrale de la patinoire est réservée aux petits. Tout d'abord craintif, me tenant fermement les mains, Fred prend peu à peu de l'assurance. Il me sourit alors, fier comme un paon. Au bout de trois quarts d'heure, exténué, il prend quelques minutes de repos pour mieux s'élancer, seul. Je le surveille, prêt à amortir ses chutes.

Merci, mon petit Fred, de me réénergiser comme ça. Quel *boost* !

# Un deuxième essai

# 3

Dès le lendemain, Bianca, mon entremetteuse, a exigé un compte rendu détaillé de ma rencontre avec Michel. Lorsque je lui ai raconté la fin de cette soirée, elle s'est insurgée.

« Qu'est-ce qui t'a pris de lui dire ça ? Tu ne voulais plus que Michel te rappelle, c'est ça ?

— Tu me connais ! J'ai simplement voulu être honnête avec lui.

— Ton James, c'est juste une réplique de ton ex, réplique améliorée, mais réplique quand même... Self-serving sur toute la ligne ! Ça ne te tente pas d'essayer autre chose ? »

Je dois avouer qu'elle avait probablement raison.

—

J'avais raconté à ma grande fille, Laurence, ma confidente, ma liaison amoureuse avec James. Je voulais graduellement préparer mes enfants aux changements qui bouleverseraient leur vie d'ici quelques semaines. Pour le mieux, j'espère.

*De me voir aujourd'hui pleurer la désarçonne. Son regard inter-rogateur et peiné ne me laisse pas le choix. Je dois lui raconter.*

*« James part en Thaïlande pour trois semaines. »*

*Elle s'assombrit, inquiète.*

*« Tu pars avec lui ?*

*— Non. Il part avec une autre. »*

*Elle m'entoure de ses bras et attend la suite.*

*« Je l'ignorais, mais il y avait déjà une femme dans sa vie. Il m'a juré que ça n'allait plus avec elle. Il m'a dit qu'il aime-rait mieux partir avec moi, mais qu'il profiterait du voyage pour lui parler et rompre, parce qu'il m'aime davantage. Il me prend pour plus épaisse que je suis, non ? Je lui ai dit que s'il m'aimait vraiment, c'est avec moi qu'il partirait. La moitié d'un homme, c'est pas un homme. La moitié d'un amour, c'est pas un amour… J'ai terminé en lui déclarant que je ne serais peut-être plus là à son retour. Il est parti quand même avec sa Ashley !*

*— Tu as peur ? »*

*Je la fixe, étonnée.*

*« Tu es trop perspicace, toi. C'est vrai. Je n'ai jamais vécu toute seule. En toute honnêteté, je suis terrifiée.*

*— On va être là, nous ! On n'a besoin de personne d'autre.*

*— Et les semaines où vous serez chez votre père ? »*

*Elle me regarde tristement et nous nous étreignons.*

*Je me lève. Je dois préparer le souper. Luc ne se présentera pas, comme d'habitude. Il prétextera du travail urgent au bureau. Il est fonctionnaire au provincial. Un gratte-papier frustré comme tant d'autres. Dans le fond, c'est mieux ainsi. Au moins, on ne s'affrontera pas encore devant les enfants… nos enfants ! Dans un tel contexte, il est difficile de goûter aux joies simples d'un repas familial. Vivement le retour au travail demain ! J'adore créer des objets d'art en verre soufflé.*

Je bois un verre avec mon ex, Caroline, et son chum, Bernard, quinze ans plus jeune que moi. Je m'entends très bien avec lui. Je me souviens de notre première rencontre : elle fut mémorable.

Caro me harcelait constamment au temps de notre vie commune sur mon prétendu excès de poids. Elle m'avait même présenté une prof de gym, une Yougoslave, une vraie beauté. Elle venait m'entraîner à la maison deux fois par semaine. C'était, selon Caro, la seule façon de me stimuler à perdre du poids. Elle n'avait pas tort. Ça fonctionnait.

Une fois séparé, j'ai entrepris des travaux de rénovation dans le logement du haut que je me proposais d'habiter. Un incendie s'est déclaré. Les ouvriers étant incapables de le neutraliser, les pompiers ont dû intervenir. J'appelai Caro au travail. Elle me demanda si elle pouvait venir accompagnée de son nouvel amoureux, mon remplaçant, parce qu'elle était trop nerveuse pour conduire dans la tempête de neige. J'acquiesçai. Pourquoi refuser ? J'allais habiter au-dessus de lui bientôt.

Il arriva. Nous nous serrâmes la main. Que pouvais-je lui dire sinon...

« Drôle de façon de briser la glace. Bonjour ! »

Il me salua avec un large sourire.

Le soir, je m'empressai de téléphoner à Caroline. Dès qu'elle entendit ma voix, elle éclata de rire. Elle avait compris pourquoi je l'appelais. Son Bernard était, disons-le carrément, plus rond que je ne l'avais jamais été. L'amour est aveugle ? Quand l'amour ouvre les yeux, est-il destiné à s'effacer ? Ayoye ! C'est profond, ça ! Non, c'est tout simplement creux...

Revenons à notre petit apéro dans son salon.

« Toujours pas de nouvelles de ta belle ?

— Ça fait deux semaines. J'ai vraiment allumé dès que je l'ai vue. Comme avec toi. Souviens-toi... Je t'ai rencontrée un 15 juin. On s'est vus tous les jours après et, deux semaines plus tard, on était à Las Vegas. »

Bernard regarde Caro et décide de la taquiner.

« Tu ne m'as pas tout raconté ? »

Il s'adresse à moi :

« Faudrait qu'on aille prendre un verre juste tous les deux. »

Caro s'interpose vivement en rigolant.

« Pas question ! »

Elle enchaîne sur le même ton :

« Si tu rencontrais des femmes de ton âge, t'aurais peut-être plus de chances que ça dure.

— Comment veux-tu contrôler la chimie amoureuse ? »

Elle me regarde sérieusement.

« Je te souhaite que ça marche et qu'elle te fasse du bien. Tu le mérites, Michel. »

Bernard, qui n'hésite jamais à intervenir :

« Va la voir. Tasse-la dans un coin. Les femmes ont besoin de ça. Il faut les mettre à sa main de bonne heure. Les Arabes sont habituées à ça ! »

Puis, il éclate d'un rire franc. Il n'est pas raciste, mais il aime bien provoquer. Je ne m'en offusque pas.

—

« Es-tu déjà si accroché ? Réalises-tu ce que tu es en train de faire ? »

C'est encore mon clone. Parfois, il fait naître en moi des instincts de tueur.

« Ben quoi ? C'est la seule *blind date* en quatre ans où je me suis senti... bien ! »

Comme c'est souvent le cas quand il me tape sur les nerfs, je file vers la cuisine pour grignoter. Je compense souvent comme ça... d'où peut-être ce très très léger surplus de poids.

« Parce que c'est la plus belle, la plus jeune ?

— C'est pas juste ça, et tu le sais.

— T'es un ostie d'égoïste ! »

Là, il touche un point sensible. Je m'arrête, révolté, et fais volte-face.

« Comment ça ?

— Si ça marche, tu vas lui voler ses dernières belles années de jeunesse, pis après tu vas être trop vieux et elle va se retrouver toute seule, sur le carreau, à un âge difficile pour une femme.

— Je ne connais pas l'avenir. Je vis le moment présent. Pis je vais même aller plus loin : si elle veut un autre enfant, je suis prêt à lui en faire un. »

J'aime bien le provoquer quand il m'embête.

« Va te faire soigner ! »

Dans le fond, je n'ai pas voulu l'avouer, mais je suis un tout petit peu... ébranlé. Il a marqué des points. Il est temps que je travaille sur ma prochaine capsule télé.

~

*C'est l'heure de la chronique de Michel. J'ai demandé à Laurence de la regarder avec moi. Qu'est-ce qui se passe dans ma tête ? Ai-je vraiment envie de le rappeler ? Je ne peux pas lui faire ça. J'ai senti qu'il était déjà accroché à notre première rencontre et qu'il est le genre à vouloir s'engager rapidement. Je ne suis pas prête. JE NE SUIS PAS PRÊTE ! Voilà !*

~

### L'ÉLOGE DE L'ÉGOÏSME

« L'AIMIEZ-VOUS, MÈRE TERESA ? L'ADMIRIEZ-VOUS, LA GRANDE SAINTE ? SERIEZ-VOUS SURPRIS D'APPRENDRE QU'ELLE ÉTAIT UNE DES PLUS GRANDES ÉGOÏSTES QUE LA TERRE AIT JAMAIS PORTÉE ? ÉTAIT-ELLE HEUREUSE D'AIDER LES PLUS DÉMUNIS DE LA PLANÈTE ? PENSEZ-VOUS QUE MÈRE TERESA AURAIT PU ÊTRE HEUREUSE DE REGARDER SOUFFRIR ET MOURIR CEUX QUI L'ENTOURAIENT EN S'EN LAVANT LES MAINS ? AURAIT-ELLE PU SURMONTER SA CULPABILITÉ ET JOUIR DE LA VIE QUAND MÊME ? »

Apparaissent à l'écran des photos de mère Teresa auprès des miséreux dans son mouroir à Calcutta. Images toujours dérangeantes. À la vue desquelles, trop souvent, on s'insensibilise.

« NON, CE QUI LA RENDAIT HEUREUSE ET EN PAIX AVEC ELLE-MÊME, C'ÉTAIT D'AIDER CERTAINS DES PLUS DÉSHÉRITÉS DE LA PLANÈTE. VOILÀ CE QUE J'APPELLE

UN ÉGOÏSME GÉNÉREUX TOURNÉ VERS LES AUTRES, CONTRAIREMENT À L'ÉGOÏSME ÉGOCENTRIQUE QUI RONGE LA PLUPART D'ENTRE NOUS... SI VOUS ÊTES PLUS HEUREUX À DONNER QU'À RECEVOIR, VOUS ÊTES SUR LA BONNE VOIE...

JE VAIS LAISSER LA FEMME QUE J'AIME À UN AUTRE HOMME PARCE QU'ELLE SERA PLUS HEUREUSE AVEC LUI. ADMIRABLE. NON? VOILÀ UN PARFAIT EXEMPLE D'UN ÉGOÏSME TOURNÉ VERS LES AUTRES ET QUI REND HEUREUX... *BULLSHIT!* JE N'AI PAS ENCORE ATTEINT CE NIVEAU D'ÉGOÏSME... »

Je termine l'émission avec mon sourire habituel... toujours un peu ironique.

—

*Désopilante, sa façon de présenter les choses. Son ton gouailleur inspire la sympathie. Mais quand il a parlé de la femme qu'il aime, j'ai eu un choc, je me suis sentie visée... Raison de plus pour ne pas le rappeler. Au cas où il pensait vraiment à moi.*

*À la fin du topo, Laurence m'a questionnée, ne comprenant pas pourquoi j'avais tant insisté pour qu'elle voie ce banal moment de télévision. Puis, j'ai senti qu'elle se doutait peut-être de la vérité. Elle est cependant demeurée discrète, silencieuse.*

—

On dit que je suis généreux parce que j'aime faire plaisir, donner des cadeaux. Or, vous l'avez sûrement deviné, c'est très égoïste. Le summum de l'égoïsme qui rend les autres heureux serait d'aider concrètement les plus démunis de la terre et de ne pouvoir être satisfait sans ce bénévolat. Quand je vois de jeunes étudiants et des professionnels partir dans des pays lointains et pauvres dans l'espoir de faire une différence, je me trouve d'un égoïsme « égocentrique » de ne jamais avoir eu le courage – les couilles! – de les imiter. Je me console en me disant que j'aide mon entourage de mon mieux. Mais est-ce suffisant? Mon égoïsme est plutôt tourné vers moi, vers mon petit confort. Vers ma quête de Naïma. Naïma qui continue de m'obséder. Les informations supplémentaires de Bianca sur Naïma et sa famille élargie devraient pourtant m'inquiéter.

—

« Je veux mourir dans ma maison.

— Je ne veux pas qu'il vous arrive du mal et, en toute conscience, je ne peux vous permettre de retourner chez vous, même avec les aides que votre neveu et vos nièces peuvent vous procurer. Une chute et vous risquez de ne plus jamais vous relever. »

J'ai rarement rencontré un jeune médecin aussi compatissant. Il est assis à côté de mon oncle Émile, sa main sur son bras. Mon oncle a quatre-vingt-six ans. Il pleure. Sa chambre d'hôpital ressemble davantage à un mouroir. Quatre vieillards, certains en couche, d'autres en jaquette, tous avec des barbes longues. De toute évidence, ils attendent la mort.

Je suis ému devant cette scène. Mon oncle vit seul dans son petit duplex depuis la mort de mes parents, il y a une dizaine d'années. À la mort de son père, il a soutenu presque à lui seul ses frères et sœurs pendant toute leur vie. Il ne s'est jamais marié. Il a aidé mon père et ma mère. Plus jeune, il me prêtait de l'argent, me donnait des *lifts*. Je l'aimais bien malgré son ton parfois acide. Il m'a fallu racheter sa maison, avec l'aide de mes deux sœurs, pour qu'il puisse continuer d'y vivre dans les dernières années, puis j'ai dû moi-même la revendre à un ami avec la promesse qu'Émile y résiderait jusqu'à sa mort. Mais les coûts devenaient prohibitifs compte tenu de tous les soins et les aides qu'il nécessitait. À nous trois, mes deux sœurs et moi, nous n'y arrivions plus. C'est la mort dans l'âme que nous l'avons conduit à l'hôpital, craignant pour sa sécurité. Je le vois maintenant s'obstiner avec le médecin.

« Je suis encore capable de marcher !

— Nous allons vous garder ici jusqu'à ce qu'on vous trouve une maison d'accueil que vous choisirez vous-même avec l'aide de la travailleuse sociale et...

— Elle, je ne veux plus la voir, je l'haïs. Je ne veux pas ! »

Émile se remet à pleurer. Il ne peut se résoudre à ne pas retourner et mourir dans la maison qui fut la sienne et celle de sa famille pendant plus de cinquante ans. Le médecin pose sa main sur son épaule.

« Tout le monde vous aime ici. Nous voulons tous vous protéger et vous aider à mieux vivre, et le plus longtemps. »

À travers ses larmes, Émile esquisse un sourire.

« Ça fait vingt-six ans que je suis en retard sur ma mort. »

Il a pris sa retraite à l'âge de soixante ans. Le médecin poursuit :

« Je vais revenir vous visiter et on argumentera encore sur l'indépendance du Québec. »

Les opinions tranchées de mon oncle en faveur de la souveraineté sont bien connues. Les pleurs d'Émile me touchent. J'ai des larmes dans les yeux alors que mon oncle scrute le médecin.

« Je vais y penser ! Je vais y penser ! »

Puis, avec un petit sourire insolent.

« Vous pourriez vendre un frigidaire à un esquimau, vous ! »

Dans le corridor, je remercie chaudement le médecin. Nous ne sommes plus habitués à une telle humanité dans notre système de santé. Je ne peux m'empêcher de penser que je me retrouverai peut-être dans une situation semblable dans peu de temps.

Avant de le quitter, Émile m'a demandé pourquoi je faisais tout ça pour lui. J'ai eu envie de lui répondre : par égoïsme. Mais il n'aurait pas compris.

Sacré Émile, il a quand même réussi à me faire oublier Naïma pendant quelques heures. Tout un exploit !

—

*Je cherche désespérément un appartement pour me reloger avec mes trois enfants lorsque les nouveaux propriétaires prendront possession de notre maison dans moins de deux mois.*

Je visite des logements, mais rien ne me convient. Nous habitons, Luc et moi, une maison entièrement payée à Laval, mais jamais le montant de la vente que nous séparerons en deux ne me permettra d'acheter un endroit satisfaisant. J'allais faire une offre d'achat, mais je me suis retirée à la dernière minute. Je n'arrivais plus à me décider.

Luc ne veut absolument pas me révéler où il déménagera, ce qui faciliterait ma recherche. Il est buté, obtus. Habiter dans le même quartier faciliterait la vie quotidienne des enfants, qui sont perturbés par le divorce. Moi aussi.

Mon esprit revient constamment à Michel St-Pierre, à qui je n'ai toujours pas donné signe de vie. Je sais par Bianca, notre entremetteuse, qu'il se meurt d'envie de me revoir. Qu'ai-je à perdre?

« Tu ne pourras que lui faire mal. »

Mon clone est de retour.

« Ah oui? Explique-moi pourquoi tu en es si certaine.

— Tu ne ferais que l'encourager à aller dans une direction que tu n'es pas prête à prendre. Tu as besoin de te retrouver seule avec tes enfants avant de penser à...

— Tu as raison. »

Le même discours que ma mère, Fatima. Je vous en reparlerai de celle-là. Mais je dois donner raison à mon clone et me rendre à l'évidence.

—

Ma sœur, Aïcha, une très jolie femme de trois ans ma cadette, porte le foulard islamique depuis son adolescence. Par conviction. Mariée à un Marocain fondamentaliste, elle élève deux garçons de trois et cinq ans, tout en travaillant comme ingénieure dans la fonction publique québécoise. Elle n'a jamais cessé d'être ma meilleure amie, malgré nos divergences tant philosophiques que religieuses.

Je suis angoissée, comme toujours. Mon « petit hamster » n'arrête pas de courir dans ma tête, ne me laissant aucun répit.

*L'image de Michel ne cesse de me suivre. Je ne comprends pas. J'hésite...*

*« Une petite voix me guide vers Michel. Mais je vais encore me faire ramasser par maman !*

*— Tu as toujours fait à ta tête, Naïma, et c'est ce que tu feras encore aujourd'hui. Tu es libre. À ton âge, avec trois enfants, tes souffrances passées et ton expérience de vie, il n'en tient qu'à toi de modeler ton existence comme tu le souhaites. La vie t'offre peut-être cette seconde chance. Je ne suis pas d'accord avec ton choix, mais je peux comprendre.*

*— Pourquoi la désapprobation de maman me fait-elle tant souffrir ? J'aurais tellement aimé ça qu'elle comprenne... qu'elle me comprenne.*

*— C'est souvent le prix à payer lorsqu'on trace son propre chemin.*

*— Si je rappelle Michel... ?*

*— Lorsqu'un homme est célibataire à cet âge-là et qu'il entrevoit une histoire avec une belle femme plus jeune, mère de trois enfants et dans une situation agitée comme la tienne, il y a deux options possibles. Ou c'est un irresponsable davantage tourné vers la consommation d'idylles ou de corps, ou c'est un homme qui, malgré son passé, fait encore le pari de l'amour avec tout ce qui vient avec et qui aura le courage de s'engager. À toi de voir où ce Michel se situe.*

*— Peu importe l'évolution de nos liens, même avec toutes ses extravagances et son côté flamboyant, tu vois, j'ai confiance en lui. »*

*Aïcha sourit. Je reviens à mon obsession.*

*« Et maman ?*

*— Tu es maman toi aussi. Alors cherche d'abord l'approbation de ton cœur. Si tu oses, ose être heureuse, tout en étant consciente de ce que cela implique pour toi et tes enfants. Et ce, même si cela creuse un fossé encore plus grand avec maman. Tu dois assumer. Pour le reste, je ne serai jamais trop loin... pas nécessairement comme tu l'aurais souhaité, mais pas trop loin quand même. »*

—

Je descends au rez-de-chaussée, tout excité. Caroline et Bernard soupent tranquillement, verre de vin à la main. Je crie. Non. Je hurle.

« Elle m'a rappelé ! »

Ils sont heureux pour moi. Un peu plus et je me mettrais à danser même si je n'ai jamais dansé de ma vie. Quel enfant je fais ! Mais j'assume, j'assume.

—

Le cœur rempli d'espérance, je pousse mon petit-fils assis dans une voiturette à travers la maison de ma fille Marie-Ève et de son mari, Tristan. Je fais exprès pour provoquer des accidents qui font rire Fred aux éclats.

Alice et Coraline, mes autres filles, et leurs maris se sont joints à nous pour le repas. J'ai même sorti oncle Émile de l'hôpital pour la soirée. Assis dans une berceuse, il savoure ce moment en famille.

Je suis maintenant à quatre pattes, le petit sur mon dos. Il me pousse à aller de plus en plus vite. Je ris de bon cœur et j'y mets de l'énergie. Personne ne semble surpris par mon comportement. Fred est le seul petit-enfant que mes trois filles m'ont donné.

Je me suis toujours senti bien en présence des enfants. Je communique facilement avec eux. Ils m'aiment et je le leur rends bien. Leur innocence, leur naïveté, leur entrain, leurs sourires, leurs rires, je ne m'en lasse jamais. Dans un parc où jouent des enfants, j'éprouve toujours l'envie d'aller leur parler ou de me joindre à eux. Quelle belle occasion, malheureusement, de me faire traiter de pédophile et de me faire arrêter ! Nous vivons dans une société malade à plus d'un point de vue...

Je m'écrase par terre, cette fois à bout de souffle. Je demande un répit à mon cavalier, qui ne veut rien entendre. Marie-Ève décide d'intervenir.

« Pauvre papi... Arrête, Fred ! Tu vas le tuer ! Il est vieux ! »

Il n'en fallait pas plus pour que je fournisse un dernier effort sous les applaudissements de mon petit-fils. Il y a encore de l'orgueil dans ce corps-là.

—

En nage, je me retrouve seul à la cuisine avec Marie-Ève. Elle exploite avec son mari une compagnie spécialisée en recyclage. Elle est convaincue que la protection de l'environnement deviendra une industrie très rentable. Je l'admire. J'ai déjà écrit un scénario sur les méfaits grandissants de la pollution, il y a une trentaine d'années, à une époque où cette préoccupation était le propre d'illuminés. Malheureusement, depuis ce temps, ma conduite personnelle n'a pas toujours été à la hauteur de ce que je prêchais.

« Il y a des contrats qui s'en viennent. Je vais pouvoir te rembourser bientôt. Je ne veux pas que tu t'inquiètes. »

J'ai dû m'adresser à elle il y a quelques années parce que j'avais épuisé toutes mes autres sources d'emprunt à la suite de ma deuxième séparation.

« Je ne m'inquiète pas. Tu rebondis tout le temps.

— Oui, mais là, les montants sont plus gros. J'en ai pour deux cent cinquante mille avec les cartes et les marges de crédit.

— Rembourse les plus urgents, je n'attends pas après ça pour vivre. Et même si tu ne me remboursais pas...

— Est-ce que ça m'est déjà arrivé de ne pas rembourser mes dettes ? »

Nous nous regardons avec affection et nous nous étreignons.

J'ai hérité de trois filles adorables. Nous nous aimons profondément. Je ne sens pas de jugement de leur part, malgré certaines de mes conneries. Je ne peux m'empêcher de lui confier la bonne nouvelle du jour.

« Naïma m'a rappelé. Je la revois demain. »

Elle met ses mains sur mes joues, me fixant.

« Elle est mieux de ne pas te faire de mal. »

—

Laurence et Alexia m'accompagnent aujourd'hui à la boutique. Ma grande s'intéresse au verre soufflé. À l'arrière, dans l'atelier, je lui en enseigne les rudiments. Elle me sent nerveuse. Elle est incroyable. Elle déchiffre mes pensées comme si j'étais un livre ouvert.

J'attends effectivement la visite de Michel St-Pierre. Je l'ai rappelé. Une impulsion. Je me suis raconté que lorsqu'il découvrirait mon sale caractère, ses ardeurs refroidiraient. S'il m'avait vue ce matin...

J'habite sur la Rive-Nord, mais j'aime bien flâner sur la rue Bernard, à Outremont. J'allais acheter du pain. Aucune place de stationnement, comme d'habitude. J'aperçois une voiture de police garée devant Première Moisson. À l'intérieur, ils rédigent une contravention pour une voiture en attente. Je klaxonne. Aucune réponse. Je klaxonne de nouveau. Toujours rien.

Je descends de ma voiture et je m'approche. Je frappe à leur fenêtre. Le policier baisse sa vitre.

« Ne pourriez-vous pas vous stationner ailleurs puisque tout vous est permis ? Vous occupez la seule place légale disponible ! »

Les policiers me dévisagent comme si j'étais une extraterrestre. Puis, sans dire un mot, le conducteur bouge lentement son véhicule. Voilà ! Qu'ils se le tiennent pour dit !

En sortant de Première Moisson, mes baguettes sous le bras, je constate qu'ils n'y sont plus. Je monte dans mon auto et regarde à droite et à gauche. Aucun véhicule en vue. J'en profite pour exécuter un demi-tour interdit.

Embusqués au coin de la rue, les policiers ne ratent pas l'occasion. Fiers d'eux, arrogants, ils me rappellent en plus que je suis en retard sur le paiement de l'immatriculation de ma voiture. Résultat : six cents dollars d'amende et ma voiture à la fourrière. Voilà pour mon sale caractère. Mes enfants vont devoir manger davantage de Kraft Dinner au cours des prochaines semaines...

*Laurence interrompt mes réflexions. Elle s'est arrêtée, les yeux pleins de larmes.*

*« Vos chicanes, on n'en peut plus !*

*— Ça ne sera plus très long. Nous allons déménager bientôt.*

*— Pourquoi vous vous haïssez comme ça ? Pensez-vous à nous autres, des fois ? »*

*Je serre ma fille affectueusement.*

*« C'est exactement pour ça qu'on se sépare. On a vraiment tout essayé... »*

*C'est l'heure. Michel devrait être là d'une minute à l'autre. Je dois aborder le sujet même si le moment ne me semble pas très approprié.*

*« J'ai quelqu'un à te présenter. Il est très gentil. J'aimerais ça que tu me dises ce que tu en penses. »*

*Elle me fixe, tentant de décoder ce qui se cache derrière cette phrase en apparence anodine.*

*« Pas le gars de la télé ? »*

*Encore une fois, elle m'a devinée. À son air incrédule, je comprends que la partie n'est pas gagnée.*

*J'ai pris le risque de rappeler Michel parce que j'aimerais que mes enfants connaissent un autre modèle d'homme que celui de leur père. J'aimerais qu'ils ouvrent leurs horizons, qu'ils réalisent qu'il y a mieux que ce qu'ils ont sous les yeux tous les jours. Sujet épineux entre tous, puisque je sais pertinemment qu'ils aiment leur père malgré tout, ce qui est normal.*

———

J'approche de la boutique située au cœur du Quartier latin, rue Saint-Denis. Je suis fébrile à l'idée de la revoir. L'aurais-je trop idéalisée à la suite de notre première rencontre, il y a déjà deux semaines ? Serai-je déçu en la revoyant ? Sera-t-elle déçue ? Voilà ! J'y suis ! Je risque un œil dans la vitrine. Une fillette d'environ huit ans, probablement Alexia, se tient derrière le comptoir alors qu'un client examine les différents objets d'art en verre soufflé. Le fait que Naïma m'ait donné rendez-vous en présence de ses enfants me convainc que je suis sur la bonne voie. Devrais-je attendre que le client parte? Pas besoin. Je le croise à la porte d'entrée. Le visage de Naïma s'éclaire en me voyant. Elle s'avance, radieuse et souriante. La flamme grandit aussitôt. Non, je ne me suis pas trompé, c'est réciproque.

*« Je suis heureuse que tu aies répondu à mon appel ! »*

*Je sens le regard scrutateur de mes filles sur cet homme... plus vieux.*

*« Deux de mes enfants, Laurence et Alexia ! »*

Je me sens observé. Je leur serre la main. Des visages francs, j'y lis qu'elles sont vraisemblablement déstabilisées par mon âge. De beaux sourires, cependant. Intimidé, je me mets à regarder les objets. Des assiettes, des verres, des œuvres abstraites aux coloris variés qui jouent beaucoup avec la transparence, habilement mis en relief par un éclairage novateur.

« C'est toi qui fabriques tous ces... ?

*— Non, pas tous, malheureusement ! »*

Elle m'indique la section où sont exposées ses œuvres, les plus belles à mon avis. Évidemment !

*« Je suis encore une novice. La propriétaire est très gentille de m'initier et de me laisser garder la boutique. »*

*Pendant notre échange de banales paroles, j'aperçois Laurence qui, avec son petit air gavroche, prend une canne en verre soufflé et, derrière Michel, se met à marcher en imitant un vieil homme courbé. Je réprime difficilement un fou rire tout en signalant discrètement à ma fille de cesser ses bouffonneries. Elle me répond par un geste d'appréciation exagéré et drôle. L'éclat de rire de sa sœur, Alexia, pousse Michel à se tourner vers elles. Laurence fait alors mine d'admirer la canne et de la soumettre à l'approbation d'Alexia. Ouf !*

—

Au bout d'un certain temps, devant l'afflux de clients et l'impatience des enfants qui n'avaient pas envie d'attendre la

fermeture, j'ai offert d'aller les reconduire chez elles, à Chomedey. Elles ont accepté, à ma grande surprise. Très belle
marque de confiance de la part de Naïma. Cela augure bien
pour la suite. Mais gare aux illusions.

Durant le trajet, très discrètes, elles ne m'ont entretenu que
de l'école et de leurs copines. Je me suis senti en perpétuelle
observation. Elles étaient certes intriguées par ma personne,
mais amicales. Je m'imagine déjà vivre avec elles. Il me semble
que je serais bien. Quel con je suis de me créer des chimères
semblables ! Mais au fond, pourquoi m'empêcher de faire de la
projection ?

Une vieille maison un peu sombre. Aucune trace du père
lorsque je dépose les filles devant l'entrée, mais un visage derrière un rideau. Peut-être celui de Philippe. La partie risque
d'être plus corsée de ce côté. Je sais très bien que si je ne passe
pas le test des enfants, je serai éliminé *ipso facto*.

Je leur dis au revoir et je ne bouge pas tant qu'elles ne sont
pas rentrées.

—

*Je ne me reconnais plus. Ou plutôt si. J'ai confié mes deux
filles à un étranger. Je me sentais en confiance. Et là, je me
retrouve chez lui, dans son salon, un verre de rouge à la main.
Un haut de duplex aux antipodes de ma maison : ultramoderne,
hyper coloré et tellement chaleureux. Nous parlons de tout et
de rien. Nous nous apprivoisons. Je dois faire attention à ma
consommation d'alcool parce que je pourrais faiblir, curieuse
d'expérimenter l'amour avec un vieux de soixante ans. Je sens
que la moindre petite ouverture de ma part nous y entraînerait.
Ce serait alors nous engager sur une voie irréversible qui rui-
nerait nos chances de développer une véritable amitié et nous
mènerait inexorablement à un cul-de-sac.*

Je la sens réticente à me parler de ses parents, ses frères et
sœurs. Je n'insiste pas. Je l'écoute plutôt parler de ses enfants,
heureuse de la réaction de ses filles à notre rencontre de cet

après-midi. Elle les interrogera davantage à la maison. Elle s'anime en parlant de sa passion pour le verre soufflé.

*« Luc refusait que je travaille à l'extérieur. J'ai mis des années à essayer de le convaincre. Inutilement. J'étouffais. Alors j'ai commencé à suivre des cours en cachette. Il y a deux ans, je l'ai mis devant le fait accompli. J'avais trouvé un emploi dans cette boutique. Il ne me l'a jamais pardonné. Mais cela a été ma bouée de sauvetage. Chaque matin, j'entre à l'atelier et, le soir, j'en sors énergisée. »*

Plus la soirée avance, plus elle semble à l'aise. Belle et désirable. Je ne veux commettre aucun impair. Je me répète que Bianca et France m'ont bien averti d'y aller mollo. Le vin aidant, Naïma passe aux confidences. Elle me dévoile sa pénible aventure avec James. Sa fragilité est émouvante.

*« Quand j'ai découvert qu'il m'avait caché l'existence de son Ashley, qu'il m'avait menée en bateau, j'ai compris que je ne pouvais plus faire confiance à ses belles paroles. Encore moins à ses promesses. Je suis tombée de haut parce que j'étais déjà accrochée.*

*— J'arrive dans ta vie un peu en avance... ou en retard ?*

*— Non ! Je suis bien ici avec toi. T'es doux, gentil...*

*— Tu es très belle ! »*

*Je me lève avant que ce tête-à-tête ne m'entraîne trop loin. Il me suit.*

Au diable les avertissements. Je me lance.

« Est-ce que tu dois rentrer chez toi ce soir ?

*— Non. Chez ma mère. »*

*Devant son air intrigué, je m'empresse d'expliquer :*

*« Mon ex et moi quittons la maison à tour de rôle les fins de semaine. Ça donne quarante-huit heures aux enfants sans guerre et ça me permet de reprendre mon souffle avant de repartir au combat le dimanche soir. Tout ça achève, heureusement. »*

*Je préférerais me réfugier chez ma sœur Aïcha, mais l'intransigeance de son mari se dresse comme un mur de béton. Dans le fond, j'espère toujours retrouver l'amour de ma mère.*

« Reste ! La maison est grande. Il y a une chambre d'invités. Je suis seul... »

Elle me scrute. Je sens une légère hésitation. De courte durée. Un baiser sur la joue et elle est déjà sur le trottoir.

Je vais me coucher la tête pleine de beaux rêves. Les obstacles ne m'effraient pas.

—

*« Ta petite Alexia m'a dit que tu leur avais déjà présenté un beau-père ?*

*— Elle est vite en affaires ! Une vraie petite belette ! Bianca m'a présenté un AMI.*

*— Tu fais toujours tout à l'envers. Tu devrais consacrer tes énergies à te trouver un appartement et à prendre soin de tes enfants. »*

*Ma mère, Fatima, est à peine plus vieille que Michel : soixante-quatre ans. Mon père était un homme religieux, sans être fondamentaliste. Il pratiquait le Ramadan et les temps de prière, sans ostentation et sans provocation. À sa mort, il y a une dizaine d'années, ma mère, très ébranlée, a décidé de raffermir sa foi en portant le foulard islamique. Ma sœur cadette, Aïcha, avait déjà emboîté le pas dès son adolescence. Mon grand frère, Selim, et la plus jeune, Salima, sont demeurés fidèles en apparence, je dirais en surface, aux convictions religieuses de la famille. J'ai toujours été considérée comme la rebelle, le mouton noir.*

*Ma mère a déposé sur la table les photos de trois appartements pouvant nous convenir. De prime abord, je ne les trouve pas très séduisants. Elle ne s'en formalise pas. Son interrogatoire se poursuit.*

*« C'est quelqu'un que je connais ? »*

*J'hésite. Oh, et puis, autant jouer franc jeu, puisque ma petite Alexia lui a ouvert la porte toute grande !*

*« Michel St-Pierre, celui de la télé. »*

*Elle n'en croit pas ses oreilles. J'attends l'exécution.*

« C'est bien toi, ça ! Qu'est-ce que tu penses construire avec un homme de mon âge ?

— C'est un AMI ! »

Selim, avec plus de douceur et de gentillesse, intervient à son tour :

« Maman a peut-être raison. Avec la tête que tu as, ça ne devrait pas être très compliqué de te trouver quelqu'un de plus jeune qui conviendrait davantage à tes enfants. »

Je répète en vain qu'il ne s'agit que d'un ami. On ne m'écoute pas. Salima s'en fout royalement. Dommage qu'Aïcha ne soit pas là.

« Tu as toujours manqué de jugement. Cette fois-ci, tu vas m'écouter ! Viens vite, l'agent immobilier nous attend. »

Je n'ai pas le temps de répliquer qu'elle est déjà à la porte. Elle revêt son hidjab. Tout pour faire bonne impression auprès des agents d'immeubles et des propriétaires de logements ! C'est évident qu'on se fera refuser partout. Tant mieux, peut-être. Je suis ma mère, une femme de principes, une femme IRRÉPROCHABLE.

—

Nous nous sommes revus à quelques reprises au cours des semaines qui ont suivi. Parfois, je lui apportais un lunch à l'atelier : des sushis, une passion commune.

Je lui parlais avec enthousiasme de mes trois filles et de mon petit Fred. J'ai dans mon portefeuille une photo de mon amour apeuré sur les genoux du père Noël.

Je l'écoutais parler de ses voyages partout dans le monde : l'Afrique du Sud, l'Égypte, la Tunisie, le Maroc, la Chine, le Vietnam, la Thaïlande et de nombreux pays européens. Je lui posais mille questions. Je l'enviais. Quelle vie intéressante il a vécue !

Je l'ai invitée à une première de cinéma très courue. Le distributeur, un ami, m'avait offert des billets. Je ne fréquente pas les cocktails ni les premières, mais l'occasion de revoir Naïma était irrésistible.

*Avant d'arriver à la porte du cinéma, je me suis éloignée de Michel. Pas question, dans ma situation, que j'apparaisse sur une photo de journal ou même à la télé en sa compagnie.*

Naïma m'a rejoint à l'intérieur. J'ai bien compris la raison de sa discrétion. Je ne m'en suis pas offusqué. Je l'ai rassurée en déposant ma main sur sa cuisse. Elle ne l'a pas repoussée. Mais je n'ai pas osé faire durer le plaisir trop longtemps.

—

C'est un vendredi d'une fin de semaine de congé parental pour elle. J'ai invité Naïma au Kaizen, mon restaurant japonais préféré : sushis, sashimis et champagne. Je ne ménage rien. Je n'ai pas un sou, mais j'en gagnerai plus tard. Il y a des priorités dans la vie et lire le bonheur sur les traits de la femme que j'aime vaut certainement une carte de crédit qui déborde.

*Je suis convaincue de naviguer dans la bonne direction. Nous partageons beaucoup d'affinités : cinéma, voyages et, surtout, une vision du monde ouverte, tolérante, absente de jugement. J'ai encore beaucoup à apprendre en ce domaine.*

*Avant de le quitter et de rentrer dans ma voiture près de la boutique, nous nous souhaitons au revoir, à demain peut-être. Je le rappellerai. Nos lèvres se touchent et s'embrasent aussitôt. Nous nous embrassons, nous nous caressons dans la voiture sans égard pour le monde extérieur. Nos mains se promènent sur nos corps, s'infiltrant même sous les vêtements. Les fenêtres embuées en cette nuit d'hiver très humide nous protègent des voyeurs. Nous sommes deux ados en flagrant délit de necking prolongé en plein centre-ville.*

Très excité, je l'invite à conclure nos ébats à la maison. Prise d'un soudain remords, elle refuse et me quitte brusquement.

*Quelle conne je fais ! L'alcool m'a fait tout gâcher ! Notre amitié si précieuse en cette période difficile pourra-t-elle continuer à se développer maintenant que cette porte a été ouverte ?*

*« Arrête de te raconter des histoires et de blâmer l'alcool.*

*— Oh oui, c'est le champagne... »*

*Mon clone m'interrompt aussitôt :*

*« Tu peux arriver à te mentir, mais ça ne fonctionne pas avec moi. Tu le sais très bien. »*

*Je cède.*

*« Je suis si bien avec lui. Je voulais le... remercier.*

*— Tu joues à la pute maintenant ?*

*— Non, non, non ! J'en avais vraiment envie et...*

*— Tu sais quel espoir tu as fait naître chez lui ? »*

*Je ne réponds pas. Je ne réponds plus. Je ne veux qu'aller dormir en rentrant discrètement chez ma mère pour éviter de la réveiller et d'avoir à lui mentir sur ma soirée. Eh oui, même à mon âge !*

—

Les perspectives d'avenir avec Naïma me stimulent au plus haut point. Aussitôt levé après une nuit d'étoiles, je me mets au travail. J'étudie un projet de série policière soumis par un producteur ami. En réalité, j'ai davantage envie de poursuivre ma réflexion sur un projet de long métrage dont la toile de fond serait les médias d'information. Depuis des années, je cherche l'angle qui me permettrait d'élaborer une théorie très pertinente sur leur rôle dans la société.

Les journalistes de la presse écrite et électronique se targuent d'être les chiens de garde de notre démocratie et les messagers qui rapportent les faits de l'actualité. En réalité, dans la majorité des cas, ils choisissent les sujets et la façon de nous les présenter. Comme par hasard, ils focalisent essentiellement sur les catastrophes, les scandales, les meurtres, les accidents (surtout les plus horribles). Ils tronquent ainsi la réalité en donnant une image parcellaire et surtout négative de notre quotidien, aggravant ainsi nos perceptions de méfiance et de démotivation devant l'énormité de la tâche à entreprendre pour combattre tous ces maux.

Ainsi, que d'histoires extraordinaires d'humanité, d'entraide, de générosité sont laissées de côté sous prétexte qu'elles n'intéressent pas le public, qu'elles ne sont pas vendables ! Les gens heureux n'ont pas d'histoire, dit-on. Pourtant, ma vie et celle d'une grande majorité d'individus se nourrissent de belles histoires parce qu'elles nous aident à vivre, à résoudre nos problèmes, à travailler, à aider, à être heureux. Alors que le tableau brossé par les médias est déprimant et démotivant. Un juste équilibre entre les bonnes et les mauvaises nouvelles aiderait toute la société.

Je dois continuer à y réfléchir. La solution n'est pas évidente.

━

*J'ai donné rendez-vous à Michel dans un petit café que je fréquente parfois. J'arrive à la hâte. Je suis légèrement en retard. Il m'attend, déjà assis à la table et sur la chaise que j'occupe habituellement. Sans le savoir. Je lui en fais part. Il s'en amuse.*

« C'est un signe ! »

*Cette blague me confirme, si j'en avais encore besoin, que je lui dois la vérité.*

« J'ai fait une offre d'achat sur un appartement bien modeste. Je ne sais pas si mes enfants approuveront. Mon offre n'est pas encore acceptée par le vendeur. »

*Je lis la déception sur son visage. J'ai vraiment commis une erreur l'autre soir.*

« Je sais que tu as des attentes, mais... »

*Il veut m'interrompre, mais je l'arrête d'un geste. Les derniers événements survenus dans ma vie ont jeté un bémol sur la petite voix qui me poussait vers Michel.*

« Écoute-moi ! »

*Je lui relate la séance de médiation pour la garde des enfants et la pension alimentaire. Rencontre survenue au terme d'un long combat. Luc avait d'abord proposé, soi-disant pour m'accommoder, un avocat d'origine marocaine et d'allégeance musulmane spécialisé en droit matrimonial. Bien que cet avocat ne professât pas la charia, jamais je n'aurais voulu, dans les cir-*

constances, me retrouver entre les mains d'un tel homme. En retour, je lui proposai une avocate spécialisée dans les droits de la femme. Refusée sur-le-champ. Ce n'est qu'après de longues et tumultueuses tergiversations, ponctuées de refus de part et d'autre, que nous nous sommes finalement entendus sur le choix d'une avocate apparemment neutre et impartiale. Mais Luc a pris soin de laisser entendre qu'il ne se présenterait peut-être pas à la séance si ses affaires le réclamaient ailleurs. Quand il est arrivé avec une demi-heure de retard, il affichait un visage dur comme lui seul en est capable, la barbe en broussaille, son image de marque depuis quelques années. J'étais atterrée. Il n'a pas été long à brandir la hache de guerre.

« Elle ne s'est jamais investie dans notre couple, ni avec les enfants. Elle m'avait juré qu'elle serait toujours là pour eux et elle s'est mise à travailler comme une malade... »

Je me suis emportée aussitôt.

« Pendant quinze ans, je suis restée à la maison pour m'occuper des enfants à temps plein. Pas une fois tu n'as été foutu d'aller faire les courses, de t'occuper de leurs devoirs... Et là, tu en veux la garde complète ?

— Les enfants sont écœurés d'elle. Elle est toujours sur leur dos. C'est jamais assez bien, assez beau, assez parfait.

— Tout ce que tu fais, c'est de les niveler par le bas, toujours ce qui est plus facile.

— C'est toi qui parles d'éducation ? »

Je la regarde bouillir et je n'ai aucune difficulté à m'imaginer cette rencontre avec l'avocate. Après tout, je suis scénariste. Naïma sent le besoin d'avouer qu'elle n'a pas toujours été une mère parfaite... Je l'arrête. Je veux qu'elle me raconte la suite de cette rencontre avec l'avocate.

« Regardez-la, maître ! Elle est déjà hors contrôle !

— Hors de TON contrôle, oui.

— Combien de gars t'as fourrés pendant qu'on était ensemble ? Ostie d'Arabe ! Même mon beau-frère y a passé.

— Aucun ! Mais je le regrette ! »

*Je sens le besoin de me justifier auprès de Michel.*

*« J'allais parfois prendre un café avec le mari de sa sœur, tout comme je le faisais avec mes copines. Nous avions des conversations enrichissantes. Nous parlions de cinéma, de théâtre, d'art, de politique, sujets hors d'atteinte de Luc. Il ne s'est jamais rien passé avec mon beau-frère, contrairement à ce que Luc a toujours cru. »*

Je la crois. En la regardant me raconter cet épisode de sa vie, je déteste déjà son ex. Pourtant, je n'haïs vraiment personne dans la vie. Je dois dire que, dans ce cas-ci, je suis émotionnellement impliqué.

*L'avocate a senti le besoin d'intervenir.*

*« Nous n'arriverons à rien de constructif si nous poursuivons sur ce ton. »*

*Rien ne semble cependant arrêter la charge de Luc.*

*« Et là, elle se farcit un grand-père ! »*

*Inquiète de la réaction de Michel, je tente d'expliquer l'origine de cette accusation mensongère.*

*« Je crois bien qu'Alexia s'est encore ouvert la trappe et que Luc en a tiré cette conclusion.*

*— Elle n'a que huit ans. Elle est inconsciente, ou alors elle veut s'attirer les bonnes grâces de son papa dans une période très perturbée de sa vie. »*

Naïma m'affirme qu'elle tirera tout cela au clair à son retour à la maison.

*« C'est dégueulasse, les interrogatoires auxquels Luc soumet mes enfants. »*

Je la presse de me raconter la fin de cette médiation.

*Luc a continué, toujours sur le même ton glacial.*

*« Je ne pense même pas qu'on puisse lui accorder l'autorité parentale. Elle va se pousser au Maroc avec mes enfants !*

*— Arrête tes manipulations et tes menaces ! Il n'est pas question que je perde mes enfants. Ils sont toute ma vie ! »*

*J'étais tellement bouleversée et outrée que je ne me contenais plus. Par chance, la médiatrice est intervenue.*

« Monsieur, l'autorité parentale est refusée dans un cas sur mille, et ce, à la suite d'évaluations psychologiques approfondies du parent fautif et des enfants, ce qui s'appliquerait très difficilement ici. Vous êtes divorcés et madame a le droit de voir qui elle veut. »

Nous sommes sortis du bureau quelques minutes plus tard. À l'abri des regards, Luc s'est fait encore plus menaçant.

« Je ne reviendrai pas sur ma décision. J'ai déjà consulté un autre avocat. T'es faite à l'os. »

Je me suis mise à pleurer devant tant de méchanceté. Il a poursuivi.

« Fucking bitch ! J'ai assez hâte que tu décrisses de la maison. »

Il s'est approché de moi, son visage haineux à un centimètre du mien. Il m'a serré un bras très fort. J'ai cru qu'il allait me frapper.

« Je perdrai pas ma job pour toi. T'en vaux pas la peine. T'as pas fini de payer, ma crisse de bitch. Retourne donc au Maroc. On t'a tous assez vue ici ! »

Il m'a lâchée ; peut-être qu'il a eu peur des répercussions sur sa réputation et son emploi s'il m'agressait là, en public.

Je n'ai jamais compris, ou plutôt, je n'ai jamais accepté qu'un divorce entraîne tant de haine et d'esprit de vengeance, particulièrement lorsque des enfants en bas âge en sont les victimes innocentes. Elles en sont souvent traumatisées pour le restant de leur vie.

Je dépose ma main sur celle de Naïma, qui tremble encore de la virulence et des conséquences de cette scène de la matinée.

« Je m'excuse, mais je crois que je ne suis pas prête à m'embarquer dans une nouvelle relation... »

Elle se lève et vient m'embrasser.

« Oublie-moi... »

J'ai voulu protester en la raccompagnant à sa voiture.

« Peut-être que je peux t'aider ! Pourquoi on ne se donne pas le temps de mieux se connaître avant de prendre une décision comme celle-là ? Je suis convaincu que nous pouvons développer une relation amicale. Je suis ouvert à tout ce que tu veux. »

Rien n'y fait. Je ne peux que la regarder s'éloigner.

« Hi ! Hi ! Hi ! Hi ! »

Mon clone jubile.

« Ton appétit sexuel a failli te conduire en enfer. Tu l'as échappé belle !

— Ta gueule !

— Hi ! Hi ! Hi ! »

Il m'énerve souverainement. Peut-être que si je m'étais moins empressé, elle n'aurait pas eu peur et j'aurais pu l'aider en tant qu'ami.

« Tu n'en aurais pas été capable. Je te connais. »

Je suis rentré à la maison en tempêtant contre tous les automobilistes qui ne se conformaient pas à mon code de conduite. Klaxonnant ! Coupant ! Accélérant ! Un reliquat de ma violence passée que je n'ai pas encore réussi à totalement maîtriser.

—

« Tu n'es pas sérieux ?

— Pourquoi pas ?

— Ce n'est pas le genre de capsules qui va t'aider auprès de Naïma et de sa famille.

— Bianca ! C'est fini avec Naïma !

— Comment ça ?

— Je t'expliquerai.

— Qu'est-ce que tu lui as fait ?

— Moi ? Rien ! »

Je ne suis pas d'humeur aux explications. Je suis à prendre avec des pincettes. Bianca a compris et me laisse aller. Je me place devant les caméras. Lorsque nous avions déjà abordé ce sujet en *brainstorming*, Bianca et Louise m'avaient fortement déconseillé de m'engager dans cette controverse. Grand bien leur fasse. C'est parti !

—

*Je me suis installée devant la télé. Laurence est avec moi.*
*Alexia et Philippe travaillent au sous-sol avec leur père. Je suis*
*estomaquée quand je lis le titre de la capsule de Michel. Laurence*
*me questionne du regard. Je ne réponds pas. Je suis convaincue*
*que ma mère est aussi à l'écoute chez elle. Dans le fond, quelle*
*importance, puisque je ne reverrai plus Michel.*

—

### L'ÉLOGE DE LA PROSTITUTION

« OUBLIEZ LA PROSTITUTION DE RUE, LES JUNKIES, L'EXPLOITATION, LES ESCLAVES
SEXUELLES ET LES PROXÉNÈTES POUR QUELQUES MINUTES. NOUS SOMMES TOUS D'AC-
CORD POUR ENDIGUER CE FLOT DE VIOLENCE, D'EXPLOITATION ET DE DÉGRADATION.
MAIS PARLONS PLUTÔT DE CES FEMMES INDÉPENDANTES QUI, PAR GOÛT DE L'AVEN-
TURE, DE SEXE ET D'ARGENT, DEVIENNENT DES ESCORTES... OUI, ÇA EXISTE... »

*Je souris.*

« HEUREUSEMENT ! »

*Je suis mal à l'aise en entendant ces propos, malgré le ton*
*léger devenu sa marque de commerce. Mais, en même temps, il*
*me fascine. Il n'a pas peur d'oser. Pourvu qu'il ne lui arrive rien.*
*Laurence continue à me regarder, en quête d'explications. Je lui*
*fais signe de rester à l'écoute pour l'instant. Voyons où il veut*
*en venir.*

« DES BONNES SAMARITAINES QUI PROCURENT PLAISIR, JOIE ET TENDRESSE
AUX ÂMES ESSEULÉES, AUX INFIRMES ET HANDICAPÉS DE LA NATURE QUI NE PEUVENT
VIVRE LEUR SEXUALITÉ QUE GRÂCE À CES MÈRES TERESA DU SEXE... »

*Il pousse un peu fort. Mais je souris à la pensée de ma mère,*
*Fatima, devant la télé, en train de fulminer du manque de juge-*
*ment de sa fille qui a osé présenter un tel homme à ses pauvres*
*petits-enfants.*

« ET PENSEZ À TOUTES CES BELLES ACTRICES, J'EN AI CONNU, QUI MARCHAN-
DENT LEUR NUDITÉ POUR LE PLUS GRAND PLAISIR DE LEUR AUDITOIRE MASCULIN ET
À TOUTES CES FEMMES QUI VIVENT AUX CROCHETS DE LEUR MARI ET ACCEPTENT DE
BAISER AVEC LUI MÊME SI ELLES NE L'AIMENT PLUS DEPUIS LONGTEMPS. AU FAIT,
COMMENT APPELLE-T-ON ÇA, DÉJÀ ? »

C'est le moment que choisit Philippe pour arriver et, sans rien nous demander, il introduit un DVD, nous privant ainsi de la conclusion de la capsule.

« Laisse-nous regarder la fin ! »

Il m'ignore et continue à jouer avec la télécommande.

« Philippe ! Remets l'émission et va étudier ! Avec les notes que tu as... »

Sans même me regarder :

« T'es pas tannée de me faire chier ? »

Je me lève pour le confronter.

« Phil, c'est pas une façon de parler à...

— C'est pas toi qui vas me dire comment parler, OK ? »

Suivi d'Alexia, Luc apparaît à son tour avec bière et chips pour visionner le DVD. Il s'adresse à Laurence :

« Un peu dégueu comme film, mais il paraît que c'est très bon. »

Philippe est heureux. Je regarde Laurence. Elle n'ose se prononcer. Tout comme moi, elle a peur. Je me contrôle difficilement. Je veux tuer. Je m'adresse à Alexia.

« Va jouer dehors avec tes amies. »

Elle ne veut pas être exclue. Elle proteste, tiraillée entre l'obéissance à son père ou à sa mère. Comment un homme que j'ai aimé, le père de mes enfants, peut-il tolérer un comportement pareil envers moi ? Comment ai-je pu aimer un tel homme ? Oui, il a des qualités. Mais il est également très manipulateur, convaincu de sa vérité qui exclut celle des autres. Luc et Philippe s'installent confortablement, faisant fi de ma présence.

—

Je me retrouve devant mon patron et ami, directeur de la programmation de la station de télévision. Il est d'une humeur massacrante. Moi aussi.

« Es-tu conscient de ce que tu dis devant autant de jeunes qui te regardent ? »

Je souris.

« Oui. C'est justement pour ça que j'aborde ces sujets-là. »
Il se lève.

« Le téléphone ne dérougit pas. Sans compter les courriels…
Nous avons une responsabilité sociale et morale…

— Tu ne m'as pas offert ce poste en pensant que j'allais me
censurer et répéter les mêmes âneries que ta station débite à
cœur de jour ?

— Tu es bien à pic ! Je dis seulement que tu vas trop loin.

— Je prépare un dossier sur les médias d'information. Tu
vas aimer ! »
Il s'adoucit.

« Je t'ai donné ce job-là parce que tu étais dans la marde,
mais là, c'est toi qui me mets dans la marde. Moi aussi, j'ai des
patrons. Je peux te défendre, mais il y a des limites !

— J'ai compris ! »

Sur ce, je me lève et claque la porte. Je n'aime pas les répri-
mandes paternalistes.

—

*Avant d'aller me coucher en ravalant mes larmes, j'entre
dans la chambre de mon fils. Nous avons besoin de parler.
Son comportement des derniers mois est inacceptable.
Il se redresse d'un bond dans son lit. Son visage est dur,
comme celui que je ne connais que trop bien. La partie sera
difficile.*

*« Je ne te pardonnerai jamais d'avoir rendu papa malheu-
reux, de l'avoir trompé !*

*— Mais Phil, ce n'est pas vrai…*

*— Les seules fois où je l'ai vu pleurer, c'était à cause de toi ! »
Je m'emporte.*

*« Je n'ai jamais trompé ton père, ni avec ton oncle, ni avec
personne !*

*— Tu es toujours sur mon dos. Je ne fais jamais rien d'assez
bien pour toi, ni pour ta mère. C'est comme ça que vous élevez
vos enfants au Maroc ? »*

*J'ignore cette dernière remarque à la limite du racisme et je décide d'assumer mes torts.*

*« C'est vrai que je n'ai pas toujours été une bonne mère. Mais je veux tellement que tu réussisses, je veux tellement te donner toutes les chances... Je sais que, des fois, j'étais tellement frustrée et malheureuse avec ton père que je t'en ai fait payer le prix. Je n'aurais pas dû. Je m'en excuse.*

*— Je n'irai pas vivre avec ton sugar daddy ! Je veux rester avec mon père. »*

*J'encaisse du mieux que je peux.*

*« Je ne le reverrai plus. Nous allons rester juste tous les quatre, moi, toi et tes deux sœurs. »*

*Il hausse les épaules et se recouche en me tournant le dos. J'ai beau tenter de le raisonner, de lui dire à quel point je l'aime, rien n'y fait. Je n'obtiens qu'un silence hostile.*

*Je dois battre en retraite au sous-sol, sur mon lit de fortune. Je laisse déferler toutes les larmes de mon corps. Je ne peux accepter de perdre un enfant aux mains de mon ex sachant dans quel contexte il sera élevé. Ce n'est pas possible !*

~

*Mon offre d'achat a été refusée. La contre-offre me semble inacceptable. Que vais-je faire ? Il me reste si peu de temps avant le déménagement. Arrête de t'apitoyer sur ton sort et avance. Oui, mais où ? Comment ? J'ai besoin d'air.*

~

J'ai téléphoné à mon amie France. Miraculeusement, je l'ai obtenue au bout de la ligne, ce qui constitue un exploit en soi. Elle a réitéré sa confiance dans ma relation avec Naïma. Je dois me montrer créatif et persévérant, comme me le suggérait Caro.

Je me dirige vers la boutique. J'ai pris la précaution de vérifier sa présence, elle alterne la garde du magasin avec sa patronne selon les disponibilités de cette dernière, et je l'ai avisée de ma visite. Je ne lui ai pas laissé le temps de répondre et j'ai raccroché.

J'ouvre la porte. Elle se présente à moi, les yeux rougis.

« Qu'est-il arrivé ? »

Elle élude ma question.

*« Je ne suis vraiment pas prête à m'engager avec quelqu'un. Ce ne serait pas juste. Ma mère a raison. Je dois d'abord m'occuper de mes enfants et leur trouver un logement convenable.*

Es tu convaincue que nous ne sommes pas faits l'un pour l'autre ? »

Elle ne me répond pas. Je lui prends la main.

*Son regard est empreint de bonté et de douceur. Je voudrais tellement le croire en ce moment. Il sort de sa poche une enveloppe et me la remet.*

« Tu l'ouvriras quand je serai parti. »

Je dépose un baiser sur ses deux joues et je me retire.

# LA DÉCISION

# 4

Trois heures. Le milieu de la nuit. Un 19 mars. Un vendredi d'une longue fin de semaine. Je termine la préparation de ma petite valise avec la complicité discrète de Laurence au sous-sol. Je suis prête. Nous montons silencieusement les marches de l'escalier. Nous traversons la maison sur le bout des pieds.

« Maman ! »

Je me retourne. Réveillée, Alexia est dans les escaliers.

« Va te recoucher, ma puce. C'est ma fin de semaine de congé. Je m'en vais chez grand-maman. Je te revois lundi, mon ange. »

Je l'embrasse. Les yeux bouffis de sommeil, elle retourne à son lit.

Luc apparaît à son tour. Je ne le regarde même pas. Je chuchote à l'oreille de Laurence :

« Tu es la seule à le savoir. Tu as mes coordonnées si tu veux me joindre. »

Elle m'embrasse.

« Bon voyage ! »

*Dans le hall d'entrée, j'entends Luc interroger Laurence.*

*« Où elle s'en va comme ça, ta mère, au milieu de la nuit ?*

*— Qu'est-ce que ça peut bien te faire ? Vous êtes divorcés, non ? »*

*Je ferme la porte derrière moi. J'admire Laurence. Elle sait se tenir debout. Par mesure de précaution, j'ai avisé ma sœur Aïcha de ma destination du week-end. Elle ne m'a pas posé de questions. Quelle chance d'avoir une petite sœur qui non seulement ne me juge pas, mais me comprend et m'aime.*

*« Je sais que tu fais pour le mieux. Et je crois que ces quelques jours te feront beaucoup de bien.*

*— Merci, Aïcha ! Merci ! »*

*Je sors. Je grelotte. Mes vêtements ne sont pas appropriés pour ce froid de canard. Qu'importe !*

~

Nous sortons de l'avion sous un soleil radieux, chacun une valise à roulettes sur nos talons. Ce n'est pas la canicule, peut-être 22 ou 23 degrés. Très confortable. Quel contraste avec le froid incisif de Montréal ! Une fois les formalités d'usage remplies à l'aéroport des Bermudes, nous sautons dans un taxi.

L'enveloppe remise à Naïma à sa boutique contenait une confirmation de billets d'avion et de réservation d'hôtel. J'ai averti mes filles de mon départ sans donner d'autres précisions. Aucune question de leur part. Elles respectent ma vie privée. Je les adore.

Nous descendons devant le Surf Side Beach Club Hotel. Les jardins sont luxuriants. Nous pénétrons dans un petit paradis.

*« T'es complètement fou ! Venir ici pour un week-end ! »*

Je m'émerveille de son émerveillement.

« Oui, mais c'est une longue fin de semaine. »

Plus de soixante-douze heures en tête à tête, sans pression extérieure. Une belle façon de mieux se connaître et d'établir des bases pour un éventuel avenir commun. Et de faire l'amour avec elle, bien sûr. Je ne m'en cache pas. Oh que non ! Moi qui déteste prendre des photos, j'ai emprunté un appareil pour la saisir sous tous les angles. Une première dans ma vie.

Nous nous délestons rapidement de nos bagages dans notre suite dont les grandes baies vitrées ouvrent sur la mer. Nous nous étreignons. L'attrait de la plage prend vite le dessus. Nous nous changeons avec discrétion. Un short et un t-shirt pour moi. Une robe légère et colorée pour Naïma.

Y a-t-il plus grand bonheur que de respirer l'air de la mer en compagnie de la femme que j'aime? Peut-on aimer une personne sans la connaître davantage? Oui, du moins à un certain niveau.

Après une longue promenade quasiment silencieuse sous une légère brise, nous faisons une pause. Adossés à un rocher, à l'abri des regards, nous nous embrassons avec fougue. Je caresse son visage, j'embrasse son cou, sa nuque, je lui mordille les lèvres. Mes mains indisciplinées descendent sur ses épaules, caressent ses seins et disparaissent sous le tissu léger de sa robe. Mes mains fouineuses descendent plus bas, doucement sur ses hanches, puis sous sa jupe, le long de ses cuisses. À mon grand étonnement, elle atteint l'orgasme en un temps record. Je la regarde. Elle éclate de rire.

« *Ça faisait longtemps...* »

—

*De retour à la chambre, au moment de nous habiller pour le souper, je croise son regard empli de désir. Je m'approche et, cette fois-ci, nous nous déshabillons mutuellement pour nous embrasser et nous caresser. Nous sommes nerveux. Heureusement, il tire les rideaux et s'arrange pour que je ne puisse pas trop voir son corps d'homme de soixante ans. Ça me convient parfaitement puisqu'il ne pourra pas davantage examiner mon corps de femme abîmé par trois grossesses. Je suis à nouveau excitée et il ne m'a pas aussitôt pénétrée qu'il jouit. Il me regarde, désolé.*

« Ça faisait longtemps!... »

*Nous éclatons de rire. Nous devrons apprendre à jauger la sensibilité de nos corps et nous ajuster.*

～

Je suis tellement heureux. Un des plus beaux moments de ma vie. Quelle bonne, quelle géniale idée que le divorce qui permet de vivre de telles émotions. Je devrais écrire une capsule qui en vanterait les mérites. Oui. En fait, je devrais la coucher tout de suite sur papier. Je souris déjà à l'idée de faire grincer les bien-pensants de ce monde lorsqu'ils me regarderont la livrer en ondes.

～

### L'ÉLOGE DU DIVORCE

« Vous venez de rencontrer l'amour de votre vie ou, du moins, vous le croyez. Vous ne pensez qu'à cette personne. Elle vous obsède. Vous n'aspirez qu'à vivre en sa compagnie. Vous profitez de toutes les occasions pour la voir. Ce n'est pas un coup de foudre illusoire puisque vous la fréquentez depuis des mois. Elle est libre. Mais vous, vous ne l'êtes pas.

Pire : vous êtes marié(e). Vous avez des enfants. Vous possédez une maison, des amis communs. Que faites-vous ?

Vous avez des principes. Alors vous vous armez de courage et vous rompez avec l'amour de votre vie pour demeurer au foyer. Bravo !

Mais son souvenir vous hante. Vous êtes déchiré(e), malheureux ou malheureuse. Tous vos proches le sentent, vos enfants, vos amis, votre conjoint ou conjointe. Ils sont malheureux pour vous. Ça vous tape sur les nerfs. Vous n'arrêtez pas de penser à cette personne. Vous vous empêchez de la revoir pour ne pas succomber. Vous avez perdu votre joie de vivre. Vous faites chier tout le monde. Même votre travail s'en ressent.

Mais bravo. Vous tenez le coup. Vous gardez votre famille intacte même si vous rendez tout le monde malheureux autour de vous. Voilà ce qu'on appelle du courage, des principes. Je m'incline bien bas, bien bien bas, bien bien bien bas. »

Je retravaillerai ce texte plus tard. Au moins, je l'ai en banque et je peux retourner à l'amour de ma vie qui a, fort heureusement, divorcé même si ce n'était pas parce qu'elle m'avait rencontré.

—

*Terrasse de bord de mer, le soir. Éclairage magique. Chandelles romantiques. Fleurs aux parfums enivrants et sucrés. Ambiance féerique. Champagne à l'appui.*

Nous trinquons à nouveau. Je ne cesse de la photographier. Elle rit. J'assume pleinement mon côté gaga. Quel homme ne m'envierait pas ce soir?

« *C'était vraiment une bonne idée. Une vraie bouffée d'oxygène!* »

*Il est heureux. Nous buvons une gorgée. Je regarde autour de moi. Un moment de silence au cours duquel une vague d'émotion monte en moi. Impossible de la dissimuler. Michel s'inquiète.*

« Qu'est-ce qui se passe?

— *C'est rien...* »

*Je sens mes yeux s'humecter.*

« *Je pense à moi ici, à mes enfants à la maison... Philippe m'a annoncé qu'il resterait en permanence chez son père.*

— Pourquoi?

— *Quand j'en ai parlé à Luc, je me suis butée à son air triomphant.*

— C'est peut-être juste temporaire. Le choc du divorce. Une solidarité avec son père...

— *C'est comme si, depuis le premier jour, Phil avait été le gars de son père. À peine sorti de mon ventre, il est devenu sa proie. Luc s'est emparé du bébé et l'a emmené à l'écart. Je le vois encore, assis par terre, Phil dans ses bras. Il lui parlait. J'étais épuisée, encore sur la table d'accouchement. C'était à l'opposé de tout ce que j'avais pu imaginer. Je n'existais plus. Ma job était faite. Je lui avais pondu un fils. Merci, bonsoir!* »

—

*Plus tard, le même soir, nous sommes de retour à la chambre. Je me déshabille très discrètement. Je le sens détailler chaque parcelle de mon corps. Au-delà de ma pudeur, je me sens laide. Pourtant, il s'approche et recommence à me caresser, je dirais avec amour et admiration. Je ne comprends pas. Il a déjà dû posséder des femmes autrement plus belles.*

Naïma est tellement belle. Comment croire que ce corps a donné naissance à trois enfants ? Comment croire qu'elle puisse ne pas se trouver belle ? La grande majorité des femmes envieraient ce corps. Et c'est à moi qu'elle consent à se donner. Ouf ! J'en suis intimidé.

« J'ose espérer que tu ne trouves pas mon vieux corps trop repoussant. »

*La beauté physique n'est pas ce qui m'attire le plus chez un homme.*

« *Ton corps est encore beau. Un peu mince, mais encore très confortable.* »

Ce n'est pas vrai, mais je laisse passer. Je ne veux pas argumenter. Je ne veux que me lover en elle.

*Je l'enlace, je cherche ses lèvres. Nous nous caressons. J'ignorais qu'à son âge un homme pouvait récidiver aussi rapidement. Je le sens à l'écoute de mes moindres désirs et je me laisse gagner par le pur plaisir. Nous aurons encore à nous ajuster, mais cette fois-ci, l'orgasme est au rendez-vous autant pour lui que pour moi.*

« C'est tellement meilleur de faire l'amour avec quelqu'un qu'on... chérit.

— *Quelle est la différence ?*

— Tout ton être est impliqué, pas juste ton sexe. »

Naïma demeure très discrète sur son passé matrimonial malgré ma curiosité légitime de mieux la connaître. Je devine un mariage malheureux de quinze ans. Pourquoi tout ce temps ? Après une hésitation, elle me tend quelques pages de son journal intime. J'en amorce la lecture.

*« Je me suis accrochée pendant plusieurs années à un scé-*
*nario rassurant. Toutes les fibres de mon corps voulaient y*
*croire. Jusqu'au jour où la réalité crève les yeux et que la néces-*
*sité de connaître l'amour, le vrai, de se permettre un souffle*
*d'abandon et de se fabriquer une vie à soi, l'emporte sur tout*
*le reste. Parce que, parfois, on constate que l'on agit au nom de*
*principes qu'on croyait être les siens, mais qui ne nous appar-*
*tiennent nullement. »*

Elle ne me regarde pas, inquiète de ma réaction, anxieuse
de se dévoiler aussi intimement.

*« Je ne baisse pas les bras devant l'adversité. De plus, ma*
*décision avait pour ennemi les rires de l'enfance de mes trois*
*enfants. Comme je ne pouvais supporter l'idée que le ciel s'ef-*
*fondre sur eux, j'ai préféré remettre à plus tard... Parce que je ne*
*suis pas une égoïste... »*

Je lève les yeux vers elle. Je suis conquis, ému. Je poursuis.

*« C'est un amour de tant de peine qui n'en finit pas de mourir.*
*Avec Luc, j'ai monté en haut du mur des malheurs. Maintenant,*
*je vogue sur mon chagrin et attendrai un jour le nuage où on*
*guérit du mal d'aimer. J'en ai assez de me tordre le cœur. Je n'ai*
*pas trois vies dans ma poche. »*

Je lui remets son journal intime. Je lui souris tendrement.
Elle m'explique qu'il contient des phrases et des bouts de texte
qu'elle a glanés au fil de ses lectures. D'autres ont été fredonnés
à ses oreilles et l'ont marquée tellement ils correspondaient à
son histoire.

*Nous nous endormons, nus, collés l'un contre l'autre. Je me*
*sens bien au paradis.*

—

Nous nous promenons sur la plage, pataugeant parfois
dans l'eau. Le soleil est au rendez-vous. Naïma est vive, enjouée,
radieuse. Elle fait plaisir à voir. Clic, clic, clic et reclic. Photo
sur photo. Nous avons l'air de tourtereaux qui en sont à leur
première histoire d'amour. Décidément, j'ai eu une bonne idée,

qui valait bien l'emprunt que j'ai dû faire pour nous offrir cette escapade.

*« J'ai manqué la fin de ton topo sur la prostitution. Quelle pirouette as-tu imaginée pour conclure?*

— J'ai terminé en jurant sur tous les saints qu'il fallait encourager la mafia à s'enrichir, les prostituées à se faire violenter, les clients à se faire infecter par des ITS. Si personne n'a réussi à éradiquer le plus vieux métier du monde, il n'y a aucune raison que nous y arrivions. »

Naïma éclate de rire devant mon ton emphatique et abrasif.

*« Je ne comprends pas!*

— Oups! Je voulais juste dire que personne ne réussira jamais à éliminer la prostitution et que le refus de la légaliser profite aux différentes mafias et à la propagation de la violence et des maladies. J'ai toujours favorisé la provocation qui force le questionnement. »

*« Est-ce que tu t'es déjà envoyé en l'air avec des prostituées?*

— Oui. Elle prétendait s'appeler Alexandra. Je n'ai pas su son vrai nom avant plusieurs mois. Quand j'ai eu le *kick* sur elle, je ne savais pas qu'elle était une escorte. Je l'avais rencontrée chez des amis. Je pensais qu'elle me regardait pour mes beaux yeux. »

J'éclate de rire.

« On s'est revus régulièrement pendant plus d'un an quand je vivais seul. Elle aimait le sexe, l'argent, l'aventure. Elle était indépendante. Et moi, j'avais besoin de sexe, de tendresse, j'avais besoin qu'une femme me prenne dans ses bras. »

Naïma s'arrête et me regarde, sous le choc.

—

*Devant ma réaction inattendue, il s'est assis sur la plage et m'a parlé d'Alexandra, une jeune femme d'à peine vingt-cinq ans, étudiante en sexologie.*

« Je sais, elles disent toutes qu'elles sont étudiantes. Cela fait partie du fantasme de bien des hommes que de baiser avec une étudiante. Mais je l'ai crue. Mince. Longs cheveux noirs très bouclés. La première fois, elle est arrivée en jeans à la maison. Je lui avais servi un repas festif avec champagne. Nous avons fait connaissance pendant quelques heures et nous nous sommes retrouvés au lit. »

*Je m'imagine la voir le chevaucher, les voir en train de faire l'amour. Pourquoi cette image me heurte-t-elle ? J'écoute la suite les yeux sur l'horizon de la mer.*

« Après plusieurs rencontres, elle est passée aux confidences. Sa mère avait vu un guérisseur pendant des mois. L'avancement de son cancer ne lui permettait pas d'attendre sur une liste à l'hôpital. Elle n'avait pas la force de se rendre aux États-Unis non plus. Ce charlatan n'était qu'un beau parleur qui lui promettait une guérison moyennant une petite fortune. Alexandra a dû faire entrer d'urgence sa mère à l'hôpital, où elle est morte quelques jours plus tard. »

Je tente de prendre la main de Naïma. Elle la retire.

« *Tu en étais amoureux ?*

— Pas du tout. Mais elle me faisait du bien.

— *Et tu la payais chaque fois ?* »

Devant sa réaction, je tente d'alléger.

« C'était le *deal* ! (Je rigole.) Et ça me coûtait moins cher que de passer des soirées à *cruiser* dans les bars sans jamais pogner et, comme disait Brel, de revenir à la maison la bite sous le bras. »

*Je peux difficilement comprendre qu'une fille intelligente, si elle l'était, puisse devenir une escorte. Je le regarde. J'essaie de lire en lui.*

Il me faut dédramatiser.

« Puis tu vois, ça devait être un signe du destin. C'était une Marocaine, elle aussi ! »

*Je ne le trouve pas drôle. En fait, je suis déçue. Jamais je n'aurais pu imaginer ça venant d'un homme comme lui.*

« *Vous protégiez-vous ?*

— Bien sûr. »

*Si ma famille ou mon ex l'apprenaient, ç'en serait fini de ma relation avec Michel. On m'enlèverait la garde de mes enfants, j'en suis convaincue. Et ça, il n'en sera jamais question.*

—

Je suis sur la terrasse attenante à notre chambre. J'observe Naïma qui déambule sur la plage, en proie à une profonde réflexion… sûrement sur sa vie, son avenir avec moi. Ai-je tout gâché avec cette histoire d'escorte ? Cela ne fait aucun sens. Il n'y a rien de terrible là.

« Espèce de con ! Qu'est-ce qui t'a pris de lui parler de ça pendant ton voyage de noces ?

— Très drôle !

— Qu'est-ce que ça te dirait d'écrire l'éloge du mensonge en amour ?

— J'y ai déjà pensé.

— Un peu tard, peut-être…

— J'ai le paradis entre les mains et je suis en train de tout foutre en l'air. »

Mon clone éclate de rire et me laisse à mon inquiétude.

—

L'après-midi, nous prenons le bateau pour une visite touristique autour de l'île. Nous jasons de choses et d'autres, mais je sens un gros nuage planer au-dessus de nos têtes malgré un ciel parfaitement bleu.

*Je ne veux pas gâcher ce magnifique voyage. Je veux tirer cette situation au clair pour l'empêcher de créer un froid entre nous. J'ai besoin de retrouver l'émerveillement des premiers jours.*

« *Tu es toujours aussi direct ?*

— Tu m'as posé une question. Je t'ai répondu. Comme ça, je suis certain que tu n'auras pas de mauvaises surprises. J'ai une amie, France, qui possède des dons un peu particuliers. Elle peut souvent lire dans les pensées. »

*Je le regarde, incrédule.*

« Avec elle, j'ai donc dû apprendre à vivre dans la transparence... Malheureusement, elle ne m'a pas enseigné la diplomatie.

— *C'était une de tes maîtresses ?*

— Oh non. As-tu d'autres questions ?

— *Tu ne ressentais aucune culpabilité à utiliser cette Alexandra ?*

— Non. On s'apportait quelque chose mutuellement.

— *Qu'est-ce que tu dirais si ta fille...*

— Je serais inquiet pour sa sécurité, sa santé, tout autant que si elle voyageait seule dans certains pays musulmans. »

La conversation prend une tournure que je n'aime pas.

*Je le regarde, puis je m'absorbe dans la beauté du paysage.*

*« Ça coûte cher, tout ça ? »*

Fait-elle référence à Alexandra ou au voyage ?

« Tu veux savoir si je suis riche ? »

Ma question la prend de court. Elle bafouille.

*« Euh... non... non...*

— J'ai deux cent cinquante mille dollars de dettes, pas de REER, pas de placements... Je ne possède rien à part peut-être mes meubles...

— *Et nous sommes ici, aux Bermudes, dans un cinq-étoiles !* Ça ne va pas, non ? »

Je souris devant cette réaction prévisible.

« Est-ce que j'ai l'air de ne pas aller ?

— *Si j'avais su !*

— Ça n'aurait rien changé. »

Elle me regarde, incrédule. Je saisis doucement son visage pour qu'elle puisse lire sur mes lèvres : JE T'AIME ! Aucune réaction de sa part.

Au cours du souper sur la féerique terrasse de l'hôtel, le vin aidant, la conversation s'engage sur un ton assurément plus léger. La voir rire à certaines de mes niaiseries (je suis capable d'être tellement niaiseux, c'est un don) me fait chaud au cœur.

—

Je suis déjà couché. Naïma a terminé ses préparatifs. Elle se déshabille presque en cachette pour se glisser entre les draps. Pourquoi cette pudeur ? Gêne ? Honte ? Différence culturelle ? Je l'observe néanmoins, l'œil allumé de désir. Elle se tourne vers moi, consciente de mes attentes. Elle me sourit avec chaleur.

*« Bonne nuit. »*

*J'éteins la lumière et je lui tourne le dos.*

Je n'esquisse aucun mouvement vers elle en lui souhaitant bonne nuit à mon tour. Je reste les yeux grands ouverts. Je veux respecter son souhait, mais je sens que le sommeil ne viendra pas facilement.

*Je sens la présence de mon clone favori qui surgit à mes côtés. Je lui adresse* LA *question qui me trotte dans la tête depuis ce matin.*

*« Suis-je en train de me tromper encore une fois ?*

*— Est-ce que tu t'attendais à rencontrer un homme de cet âge qui soit vierge de tout passé ?*

*— Non, bien sûr ! Je me sens bien avec lui malgré tout. Je ne me comprends plus. »*

*— Ça ne sera pas la première ni la dernière fois.*

*— J'ai seulement envie de me blottir dans ses bras et, pourtant, je suis incapable de me rapprocher.*

*— S'il est vraiment attentif, il percevra ton désir et fera le mouvement au moment voulu. »*

*Je n'ose pas me retourner vers Michel, mais je devine à sa respiration qu'il ne dort pas.*

*« Ce n'est pas toi qui enseignes à tes enfants l'ouverture, la tolérance, l'absence de jugement ? »*

*Au bout de quelques heures d'insomnie, je le sens se rapprocher. Enfin. Tout en faisant mine de dormir, je rétrécis la distance qui nous sépare. Nos corps se touchent et se collent comme s'ils s'étaient toujours connus et je m'endors.*

—

Un immense balcon désert surplombe un village touristique des Bermudes. Le sourire de Naïma est revenu. Nous nous embrassons, nous nous caressons en rigolant, comme deux adolescents d'âge mûr, tout en surveillant l'apparition possible de touristes qui sortiraient de ce musée pour respirer l'air salin. Un couple se pointe. Nous calmons nos ardeurs. Ils repartent. Nous redoublons d'ardeur.

Je recule tout en continuant à serrer Naïma dans mes bras.

« Tu sais, rendus à un certain âge, un homme et une femme qui se rencontrent doivent composer avec le passé et les valeurs de l'un et de l'autre pour pouvoir construire un amour qui sera durable, solide et joyeux. Il n'y a plus de moule. Il faut être créatif. »

Nos regards s'accrochent. Le courant passe. Elle s'appuie sur mon épaule. Je suis heureux. Je décide de plonger.

« Si tu veux venir vivre à la maison avec tes enfants... en transition... le temps que tu voudras... *no strings attached !* »

Elle se détache, incrédule.

« Tu ne t'es toujours pas trouvé de logement et j'ai justement deux pièces vides pour les chambres de tes enfants. C'est un signe, ça, non ? »

Profitant de son étonnement...

« On n'est pas bien ensemble ? »

*Je suis estomaquée et touchée à la fois.*

« *C'est vrai que je suis bien avec toi, très bien même, mais je serais malhonnête de te dire que je t'aime. Je suis tellement mêlée. Les transitions, c'est comme les coups de foudre, ça ne dure pas.* »

Ce n'est pas la réponse que je souhaitais, mais ça ne me décourage pas pour autant.

« Je suis prêt à *gambler*...

— *Ton cœur est-il assez fou pour aimer mes enfants, moi, mes angoisses et mes folies ? Es-tu si en manque que ça ? Te rembarquer avec une autre famille et... Qu'est-ce qui se cache derrière cette gentillesse ? »*

Ma réponse est spontanée, sans équivoque.

« De l'amour ! »

—

Je suis en verve. Je déborde d'énergie et d'enthousiasme. Notre escapade s'est bien terminée, malgré quelques moments houleux, et je sais que mon amour me regarde sur le téléviseur de l'atelier. Bianca, heureuse de me revoir dans une telle forme, me décoche un sourire de plaisir et d'encouragement. Trois, deux, un...

—

## L'ÉLOGE DE LA DÉPENDANCE AFFECTIVE

« SALUT LES VIEUX... DE SOIXANTE ANS ET PLUS ! SI UN JOUR VOUS RENCONTREZ UNE FEMME DE TRENTE-TROIS ANS, GÉNÉREUSE, BRILLANTE, SUPER BELLE EN PLUS... »

*Je me sens visée, intimidée, je rougis en riant gauchement. Laurence rigole tout en me jetant de brefs regards. Par chance, la boutique est vide et ma patronne, absente.*

« ... UNE FEMME QUI, MIRACULEUSEMENT, ÉPROUVE DES SENTIMENTS POUR VOUS, COMMENT RÉAGISSEZ-VOUS ? QUAND VOUS VOUS REGARDEZ DANS LE MIROIR, VOUS VOYEZ BIEN QUE VOTRE CORPS N'EST PLUS CE BEAU FLEURON QUE VOUS PORTIEZ BIEN HAUT IL N'Y A PAS SI LONGTEMPS... »

*J'éclate de rire. Je sais très bien où il s'en va.*

« ... VOUS RÉALISEZ ÉGALEMENT LE PRIVILÈGE QUE LA VIE VOUS DONNE EN VOUS ENVOYANT CE CADEAU QU'EST L'AMOUR. QU'EST-CE QUE VOUS NE FERIEZ PAS ALORS POUR LA GARDER, LA CAJOLER, LA VOIR HEUREUSE, SOURIANTE ? DES PETITS CADEAUX ? DES VOYAGES ? PRENDRE SOIN DE SES ENFANTS QUAND ELLE EST TROP OCCUPÉE ? LA GÂTER ? SURTOUT SI ELLE NE L'A PAS EU FACILE AVANT VOUS ? JUSQU'OÙ POURRIEZ-VOUS ALLER ?

EST-CE DE LA DÉPENDANCE AFFECTIVE ? SI C'EST LE CAS, EH BIEN OUI... »
Je ris, heureux, je crie presque...
« ... JE SUIS DÉPENDANT AFFECTIF ! QU'IL EN SOIT AINSI ! AMEN. »

*Je suis émue par ce «jeune fou» qui vient de me crier publiquement son amour. Je regarde ma fille. Elle sourit. Elle a tout deviné.*

—

Mon oncle Émile n'est sorti de l'hôpital que pour se diriger vers sa maison de retraite. L'hospice, selon l'ancienne terminologie. Nous l'avons choisie, mes sœurs et moi, avec son accord. Il avait d'abord formulé un vœu : revoir une dernière fois la maison qui l'a vu vivre pendant plus de cinquante ans. Un petit six-pièces, jamais rénové, aux boiseries d'origine.

Nous y voici. Que de souvenirs ! Ses parents, son frère, ses sœurs y ont vécu et y sont morts. Chaque meuble, chaque bibelot lui rappelle de douloureux souvenirs. Après avoir économiquement fait vivre la maison, il est atterré de ne pouvoir lui-même y terminer ses jours, faute d'argent pour obtenir les soins constants dont il a maintenant besoin.

Situation émotionnellement difficile même pour moi, qui ai vu mes parents vivre à l'étage pendant plus de quarante ans et qui moi-même y ai passé mon enfance, mon adolescence et le début de ma vie adulte.

Tous ces souvenirs m'assaillent. Rétrospectivement, je crois ne pas avoir suffisamment témoigné mon amour à mes parents qui étaient si généreux, si aimants. Ils auraient donné, non, ils ONT donné leurs chemises pour leurs enfants et leurs petits-enfants malgré leur condition très modeste.

Je leur ai causé plusieurs électrochocs. L'abandon de la religion catholique à mon adolescence. Un choix de profession qui n'existait même pas à l'époque. Pour n'en citer que deux. Jamais ils ne m'ont jugé ni retiré leur entier soutien.

Lorsque mes sœurs et moi allions souper le dimanche soir avec nos enfants respectifs, ma mère et mon père concoctaient plusieurs plats pour satisfaire les goûts particuliers de chacun en nous enjoignant de repartir avec les délicieux restants.

Je visite cette maison pour la dernière fois, tout comme oncle Émile. Merci à vous, papa et maman qui, je l'espère, m'entendez de là-haut.

Émile est assis dans ce fauteuil qui lui a servi de repos pendant si longtemps. Sa voix tremble.

« Cinquante ans ici… »

Il me regarde. Il sait que je comprends. Je l'aide à se relever et à marcher.

« Une dernière fois… »

Nous remontons lentement le corridor jusqu'à la cuisine. De grosses larmes coulent sur ses joues. Je tente maladroitement de l'encourager.

« Vous allez être en sécurité là-bas, vous allez vous faire des amis…

— Je n'ai envie de voir personne. »

Il baisse la tête.

« Viens, on s'en va ! »

Nous rebroussons chemin. Je suis bouleversé. Je le soutiens jusqu'à la porte d'entrée. Émile sort sans jeter un regard derrière lui.

—

*Depuis notre retour des Bermudes, je réfléchis. Mais le temps presse. Nous devons déménager dans moins de trois semaines et je n'ai toujours pas d'endroit où me loger avec mes enfants. Ils sont inquiets. Philippe ne m'adresse plus la parole. Luc se dit absorbé par son travail. Je n'en crois rien. Il est totalement absent de la maison. J'ignore toujours où il déménagera avec les enfants. Pourquoi refuse-t-il de me répondre ? Il me fait peur. Que mijote-t-il ?*

—

Je n'ai toujours pas eu de réponse à mon offre. Je lui apporte des gâteries au travail. Je lui envoie des courriels à toute heure du jour ou de la nuit, rigolos, pleins de bonne humeur et de projets. Une nuit, je me suis même levé toutes les heures pour lui écrire un courriel différent laissant place, à l'occasion, aux sentiments que j'éprouve pour elle. Nous nous parlons deux ou trois fois par jour au téléphone.

Ma mère, mes sœurs, mon frère, tous me harcèlent de questions à l'approche de l'échéance. Mes refus successifs d'achat ou de location de logis les irritent. Ils soupçonnent qu'il y a anguille sous roche... non sans raison. Est-ce que je me dirige plus ou moins consciemment vers l'acceptation de l'offre de Michel ? Non ! Je ne trouve tout simplement pas d'endroit convenable pour mes enfants avec les moyens financiers que je possède.

« Arrête de te mentir. Tu as envie d'accepter l'offre de Michel.

— Je n'ai pas le droit ! »

Ma sœur Aïcha éclate de rire. Je me bouche les oreilles. Je ne suis pas prête à entendre cette vérité qui, graduellement, émerge en moi. Elle a tout deviné. Sans en faire part à personne d'autre que moi.

« J'admire ta hardiesse.

— Aïcha ! Je n'ai pas de couilles !

— Si tu n'en avais pas, tu serais déjà une morte vivante. Tu regardes en avant et tu fonces.

— Comment arrives-tu à vivre aussi sereinement tes croyances dans le tumulte de la vie ici ?

— Ce n'est pas toujours facile... Allah me guide.

— Que devrais-je faire ?

— Je sens que ta décision est déjà prise. Il t'offre un havre de paix en temps de transition. Si tu crois pouvoir lui faire confiance... »

Je n'en reviens jamais de l'ouverture, de l'amour et de la tolérance de ma petite sœur.

—

Au fil de nos conversations, je saisis les réticences de son entourage. En bon avocat de ma cause, je lui souligne les avantages, très égoïstes j'en conviens, de venir vivre sa transition chez moi. Par ailleurs, je suis très honnête avec elle, je lui conseille de bien réfléchir et de prendre la bonne décision pour ses enfants, pour elle et sa famille. Je ne gagnerais rien à la pousser dans une direction qu'elle regretterait rapidement. Si elle devait choisir de rester à Chomedey avec ses enfants plutôt que d'accepter mon offre, je comprendrais et nous continuerions à nous voir aussi souvent que voulu.

—

*Ma patronne, à qui je me suis confiée, s'avère d'une grande aide dans ce dilemme. Elle a fait faire une enquête légale et criminelle sur Michel. Après tout, je lui confierais mes enfants si... Il n'a aucun antécédent. Chez Équifax, on nous répond que son crédit est bon. Là, je ne comprends pas. M'aurait-il menti? Je ne crois pas. De plus, elle aime bien ce Michel, qu'elle voit régulièrement à la télévision. Je dois dire que ma patronne n'est pas du genre coincé et qu'elle favoriserait mon déménagement chez lui si je lui demandais son avis. Ce que je me refuse à faire.*

*Lentement, l'évidence naît au grand jour. L'offre de Michel semble de plus en plus alléchante. Serait-ce la vie qui me conduit vers lui? Mais ai-je le droit de profiter de ses sentiments pour m'offrir ainsi qu'à mes enfants une oasis de transition?*

*À ce stade-ci, je devrais le présenter à ma famille. Cela me fait peur. Je connais tous les arguments qu'ils mettront de l'avant (sauf Aïcha) pour me décourager. Rationnellement, ils n'auront pas tort. Je préfère les mettre devant le fait accompli et en assumer les conséquences.*

*J'ai prétendu avoir une course à faire pour emmener mes deux filles rendre visite à Michel chez lui. Il n'y a pas eu de heurts. Au contraire, la communication semblait bonne. Elles ont été*

*émerveillées par la grandeur, la lumière, les couleurs et la moder-*
*nité de l'endroit.*

—

À l'occasion de mon anniversaire, le 10 avril, j'ai demandé
à mes filles d'inviter Naïma directement. Malheureusement,
elle m'a prévenu à la dernière minute qu'elle ne pouvait venir,
prétextant des urgences avec ses enfants. Je suis déçu, très
déçu. Mais je sens quelque chose d'étrange dans l'atmosphère
de la fête. Personne ne me parle d'elle alors que je leur casse
les oreilles depuis déjà plusieurs semaines à son sujet. Je souris
néanmoins. C'est la moindre des choses à voir tout le mal qu'ils
se sont donné pour célébrer mon soixantième. Ils ont même
engagé un petit orchestre, faut le faire !

C'est l'heure du champagne, la boisson par excellence des
célébrations dans notre famille. L'orchestre augmente son
crescendo et Naïma apparaît, les bouteilles à la main. Tous
les regards convergent vers mon visage surpris et émerveillé.
Secret bien gardé, vous m'avez bien eu ! J'embrasse Naïma, très
intimidée par le rôle qu'on lui a demandé de jouer.

*Michel m'avait prévenue, mais je dois absorber le choc.*
*Tous ces nouveaux visages qui me sourient, m'accueillent avec*
*chaleur... Que pensent-ils vraiment en voyant Michel avec une*
*femme comme moi ? J'ai pratiquement l'âge de ses filles ! Arabe*
*et musulmane, en plus !*

*Malgré leur accueil cordial, je me sens vite isolée, étrangère.*
*Michel ne me quitte pas des yeux. Il a senti mon malaise. Il vient*
*aussitôt à ma rescousse. Je ne veux pas être un boulet, je ne veux*
*pas l'empêcher de célébrer au milieu des siens. Je suis une grande*
*fille capable de rester seule. Mais il ne me lâche pas. Suis-je son*
*nouveau trophée ? La dernière en liste de ses conquêtes ?*

*Élizabeth, la mère de ses enfants, s'approche de moi, tout*
*sourire.*

*« Il nous a tellement rebattu les oreilles à ton propos que*
*c'est comme si on te connaissait déjà. Je n'arrête pas de lui dire*

*qu'il est chanceux de t'avoir rencontrée et qu'il devra prendre grand soin de toi. »*

*Je me sens mal. Que leur a-t-il dit à mon sujet ? Je ne suis même pas en amour avec lui. Je ne veux pas que cette fête tourne au cauchemar. Je prends sur moi, je souris, je parle de tout et de rien à tout le monde. Son petit Frédéric est adorable. Il se jette littéralement dans les bras de Michel, qui le prend, l'embrasse, le chatouille. Quel rire communicatif, sincère, vrai !*

*Sa deuxième ex, Caroline, vient me rejoindre en souhaitant vivement m'avoir comme voisine très bientôt. Toutes ces ex réunies sous un même toit dans une ambiance des plus agréables... Je ne peux m'empêcher de penser que cela ne sera jamais possible avec Luc. Dommage. Je me tourne vers Michel.*

« *Tu devrais t'ouvrir un cabinet de consultation :* Comment réussir ses divorces *!* »

J'éclate de rire.

« Ça devrait te rassurer si jamais nous ne réussissons pas notre relation. Tu jouiras d'un départ sans problème. »

*Ouf...*

—

Comment pourrais-je aider ses relations avec sa famille ? En les rassurant peut-être sur ma vision de l'immigration ? Pourquoi pas une capsule sur ce sujet en m'assurant auprès de Naïma que sa famille la verra à la télé ? J'ai obtenu son accord.

J'éprouve cependant une certaine difficulté à concocter un texte simple et acceptable pour eux. J'ose. Je l'intitule : L'ÉLOGE DE LA VIOLENCE. Paradoxal, non ? J'adopte un ton de pamphlétaire. Et voilà, c'est parti...

—

### L'ÉLOGE DE LA VIOLENCE

« DES HINDOUS, DES NOIRS, DES CHINOIS, DES VIETNAMIENS, DES PAKIS, DES TAMOULS, DES ARABES, DES ISLAMISTES, DES JUIFS, SURTOUT CEUX AVEC DES BOUCLETTES... ON NE SE RECONNAÎT PLUS CHEZ NOUS ! »

*J'ai réussi à convaincre, non sans peine, ma mère, mon frère et une de mes sœurs de regarder avec moi ce topo de Michel. Silence glacial. Visages crispés. Je ne suis pas convaincue que Michel réussisse son pari. J'attends la suite avec appréhension.*

« NOTRE LANGUE COURT À L'EXTINCTION. NOTRE CULTURE ET NOS TRADITIONS SE PERDENT, SE NOIENT AU SEIN DE CETTE MER D'IMMIGRANTS. PUIS, PUIS, PUIS CES FAMEUX ACCOMMODEMENTS RAISONNABLES ! ON SE FAIT DÉPOSSÉDER DE NOTRE IDENTITÉ. ILS VOLENT NOS JOBS. EN PLUS, ILS ONT LE CULOT DE SE RENFERMER TRÈS SOUVENT DANS DES GHETTOS D'OÙ ILS N'ATTENDENT QUE LA PREMIÈRE OCCASION POUR NOUS IMPOSER LEURS VALEURS. »

*Même si je devine où il se dirige, je suis terriblement tendue. Ma famille ne semble pas saisir l'angle ironique adopté par Michel. J'ai trop souvent plié devant leurs diktats. Cette fois, je me tiendrai debout... Je dois me tenir debout. J'ai déjà commis suffisamment d'erreurs comme ça dans ma vie. Aïcha a compris, elle. Elle me sourit.*

« SORTONS DANS LA RUE. METTONS UN FREIN À TOUTE CETTE IMMIGRA-TION QUI NOUS SUBMERGE. FERMONS LES FRONTIÈRES SURTOUT AUX PLUS DÉMUNIS QUI NE VEULENT QUE S'APPROPRIER NOS RICHESSES. REFUSONS DE DIMINUER, NE SERAIT-CE QU'UN TOUT PETIT PEU, NOTRE NIVEAU DE VIE POUR MIEUX PARTAGER.

DEMEURONS DANS NOTRE COCON CONSANGUIN. REFERMONS NOUS JUSQU'À CE QUE LES PLUS DÉMUNIS DE LA TERRE RÉALISENT QU'ILS DEVRONT UTILISER LA FORCE POUR REVENDIQUER LEUR JUSTE PART DES RICHESSES DE CETTE PLANÈTE. ICI ET AILLEURS EN OCCIDENT !

MALHEUREUSEMENT POUR NOUS, NOUS DEVRONS ALORS ADMETTRE QU'ILS ONT RAISON. NOTRE ÉGOCENTRISME AURA CAUSÉ NOTRE MALHEUR ET LE LEUR. »

*Ma mère éteint le téléviseur. Long et lourd silence. Je sens leurs regards de désapprobation braqués sur moi. Pouvais-je m'attendre à autre chose de leur part ? Ils ne connaissent que l'homme public, le pamphlétaire, l'artiste, le provocateur de vingt-sept ans mon aîné. Je me raidis.*

*« Je déménage chez lui en fin de semaine avec mes enfants. Ceux qui veulent bien m'aider sont les bienvenus. »*

*Je sors sans plus attendre.*

—

Je téléphone à mes sœurs, à mes filles, à mes ex, à mes amis porteurs de cette bonne nouvelle. J'explose de joie. Je sais, je suis excessif, surtout face au bonheur. J'assume. Bienvenue, Naïma !

# L'APPRIVOISEMENT

# 5

Je fais le tour de ma maison, maintenant à moitié vide. Je vais d'une pièce à l'autre, le cœur gros. Un constat d'échec. Sur le manteau de la cheminée trône une photo de Luc et moi au début de notre mariage. Je l'extrais du cadre. Je la regarde.

Laurence insiste, je dois me dépêcher. Comme Alexia, mon frère, mes sœurs et ma mère venus m'aider à déménager, elle craint que Luc ne réapparaisse. J'ai profité de cette fin de semaine où il est absent pour m'enfuir trois semaines plus tôt que prévu. La plupart de mes meubles ont déjà été placés dans un entrepôt. Philippe est chez des amis, croyant que nos préparatifs de déménagement étaient prématurés. Il ne voulait surtout pas y prendre part.

J'emprunte l'allée qui mène à mon petit jardin où se côtoient plusieurs variétés de vivaces près d'un bassin d'eau. Journée exceptionnellement radieuse et chaude pour cette période de l'année. Serait-ce de bon augure? Je cherche à me rassurer. Je m'assois sur une grosse pierre, la photo et un paquet d'allumettes en main. Je creuse un trou dans la terre et j'enflamme la photo. Je la dépose dans le trou, où elle finit de se consumer. Je remplis le trou de terre et y dépose un caillou.

Laurence, debout derrière, a tout vu et pleure en silence. Ma sœur Aïcha m'entoure les épaules de ses bras.

« Viens, personne n'a envie de rencontrer Luc aujourd'hui. »

Je la suis. Mes filles se collent sur moi dans la voiture. Elles comprennent que leur vie vient de changer à tout jamais. Elles savent que nous ne déménageons à Montréal que pour deux mois, soit jusqu'à la fin de leur année scolaire, et que je les emmènerai chaque matin à leur école respective à Laval et les ramènerai le soir. Lorsque je saurai où Luc a acheté, nous aviserons. Laurence et Alexia sont mes deux trésors, et si jamais elles ne sont pas heureuses dans leur logis temporaire, nous irons ailleurs. Elles se sont montrées solidaires de ma décision. Elles sont convaincues, à juste titre, que je respecterai cette promesse.

—

Nous arrivons chez Michel, les matelas de mes filles sur le toit d'une des voitures, nos vêtements et nos objets personnels empilés à la hâte dans des boîtes de carton.

Michel nous attend sur le trottoir, un grand sourire aux lèvres. Je me permets enfin de respirer. Quel soulagement d'être accueillies ainsi. Il m'embrasse. Il sourit à mes filles. Je l'entraîne vers les deux autres voitures qui suivent, chargées à bloc. Je lui présente ma mère, Fatima, et ma sœur, Aïcha, toujours leur éternel hidjab sur la tête, ainsi que ma sœur Salima et mon frère aîné, Selim.

Caroline et Bernard sortent du rez-de-chaussée de ce grand duplex pour nous accueillir à leur tour.

« Bienvenue chez vous !

— Merci. »

Je m'occupe des présentations.

—

Quand j'ai vu les véhicules s'approcher, mon cœur s'est mis à battre la chamade. J'avais gagné une première manche. J'étais heureux. J'ai serré Naïma dans mes bras sous l'œil scrutateur des membres de sa famille. J'ai bien senti une grande froideur de la part de sa mère, mais une plus grande ouverture de la part de ses sœurs et de son frère. Je ne dois jamais oublier que Naïma est une femme en transition chez moi, qu'elle n'est pas en amour avec moi. Mais pour l'instant, je m'abandonne au bonheur et à la joie de l'avoir près de moi.

—

Le déménagement va bon train. Tout le monde met la main à la pâte, Bernard et Caroline inclus. Je dirige la circulation en espérant pouvoir m'isoler avec Fatima. Difficile. Elle s'occupe soigneusement des petites et de leur installation. En fait, l'irréprochable a pris le contrôle de leurs chambres. Je jette un regard à Naïma, qui me fait signe de laisser aller.

« Ma mère veut s'assurer que les filles sont bien logées... à sa façon ! »

Je sais gré à Michel d'accepter l'intrusion de Fatima. Alexia s'approche de moi dans le corridor.

« Maman, elle est où ma chambre ? »

Je lui désigne une pièce aux murs orangés avec son matelas appuyé au mur.

« Tu auras même le grand lit, chanceuse ! »

Je la dirige alors vers une chambre jaune et bleue avec un sofa très confortable. Fatima est justement en train de ranger les vêtements de Laurence dans la garde-robe. Alexia semble confuse.

« Et toi, elle est où, ta chambre ? »

Je m'efforce de ne rien laisser paraître de mon malaise devant ma mère. Je lui indique la chambre de Michel.

« Elle est là, juste en face des vôtres.

— Ça, c'est la chambre de Michel !

— C'est la mienne aussi.

*— Ah !*

*— Est-ce que ça va ?*

*— Oui... oui... »*

*Cela travaille fort dans la tête d'Alexia. Je l'enlace. Ce tendre moment est interrompu par l'arrivée de Caroline avec des boîtes.*

*« Juste au-dessus de la mienne ! »*

*Je la sens à la fois amusée et mal à l'aise.*

*« Michel·a insonorisé le plancher ! »*

*Est-ce que cette information de Caroline devrait me rassurer ? Je lui souris, un tantinet embarrassée.*

—

Les chambres des enfants ont été rapidement aménagées. Caroline, Bernard et Aïcha terminent de déballer les dernières boîtes. Naïma est demeurée dans les chambres des filles. Je m'affaire à sortir de l'armoire et du frigo les verres de champagne, le Dom Pérignon et les boissons gazeuses tout en causant finalement avec Fatima et Selim.

« Je sais que vous n'approuvez pas ce déménagement, mais... »

Fatima m'interrompt.

« Naïma a besoin de reconstruire sa vie avec un homme de son âge. Pour elle et pour ses enfants... »

Je veux me faire rassurant et convaincant.

« Elle doit peut-être se reconstruire elle-même en premier et je pense que... »

Elle m'interrompt à nouveau avec un sourire las.

« C'est une fille compliquée qui a toujours fait les mauvais choix, avec les résultats que vous voyez. Ses enfants sont perturbés et elle en a déjà perdu un.

— Elle n'est ici qu'en transition, le temps qu'elle voudra. »

Selim choisit ce moment pour intervenir à son tour.

« Maman, nous sommes ici pour aider Naïma. Elle a besoin de nous. »

Fatima me foudroie d'un regard hostile. Je suis pour elle le « vieux cochon » qui profite du désarroi de sa fille pour baiser une jeune. Je décide de mettre un terme à cet échange cul-de-sac en invitant tous les déménageurs amateurs à célébrer.

« C'est l'heure du champagne ! »

Naïma rougit. Elle me supplie du regard de ranger cette bouteille. Fatima me fait des yeux de braise. J'ai compris. Un peu tard, mais quand même. Les musulmans ne boivent pas d'alcool. J'aurais dû y penser, mais dans l'exaltation de cette journée, ça m'a échappé. Une pirouette pour me sortir de ce mauvais pas. Je me tourne alors vers Laurence et Alexia.

« Contentes de vos chambres, les enfants ? Juste au-dessus de celles des enfants de Bernard. Ils sont un peu plus jeunes que vous. »

Intimidées, elles acquiescent silencieusement.

Naïma vient alors me faire la bise.

*J'ai senti le besoin, devant ma mère surtout, de m'affirmer en me rangeant du côté de Michel. Geste qui ne passe pas inaperçu auprès de ma famille. Aïcha me sourit. Je n'en demande pas plus pour aujourd'hui. Michel en profite pour sortir la bouffe. Il ne fait jamais les choses à moitié dans ces occasions. Crevettes, crabe, saumon gravlax, sushis, etc.*

« Allez, à table ! À notre nouvelle vie !

— Sans Philippe ! »

Ouf.

Pas facile, cette Fatima ! Mais je peux très bien comprendre son anxiété. Sa fille qui déménage avec ses deux enfants chez un homme beaucoup plus vieux, de qui elle n'est pas amoureuse. Voilà de quoi heurter ses convictions religieuses et la conforter dans l'idée que sa fille fait toujours les mauvais choix.

Tout le monde s'assoit. Heureusement, Naïma et Aïcha réussissent à ramener la bonne humeur.

Journée épuisante, riche en émotions. Nous la finissons avec la bouteille de champagne au lit. Un verre, deux verres, trois verres. Les enfants sont couchées. Je suis heureux et, l'alcool aidant, je rigole.

« J'ai envie de donner raison à ta mère ce soir. »

*L'inquiétude me gagne aussitôt malgré son ton ricaneur.*

*« Comment ça ?*

— De jouer au vieux cochon qui a envie de s'envoyer en l'air avec une jeunesse. »

Elle éclate de rire.

*« T'es con ! »*

*La jeunesse va rencontrer la vieillesse au milieu du lit pour lui extraire ses dernières énergies de la journée. Une fois dans ses bras, l'émotion des derniers événements me rattrape. Michel me jette un regard, respectueux et interrogateur à la fois.*

*« Les dernières semaines ont été tellement horribles à la maison. Juste pour te dire, j'avais caché tous les couteaux. Et Philippe que je n'ai même pas pu embrasser avant de m'enfuir...*

— *Qu'est-ce que Luc avait tant à te reprocher ?*

— *Il me reprochait de penser, d'avoir des idées, des désirs, des amis. Il aurait voulu que je lui demande la permission pour respirer. Les scènes qu'il a pu me faire lorsque j'ai eu des offres d'emploi ou quand j'ai voulu retourner aux études ! Il n'arrêtait pas de me répéter que je ne m'occupais pas assez des enfants. Dans le fond, il voulait juste me garder attachée avec une laisse pas trop longue. »*

J'essuie délicatement le début d'une larme qui perle sous son œil. Je l'embrasse. Je n'ose pas poser d'autres questions sur sa vie passée. Elle s'est, même à ce jour, montrée très discrète sur ce sujet.

Je me répète, mais quel bonheur de la retrouver installée chez moi, de pouvoir vivre avec elle. Le désir se montre rapidement plus fort que notre fatigue.

Au beau milieu de nos ébats, alors que l'excitation atteint son paroxysme, nous entendons frapper timidement à la porte.

Nous nous arrêtons brusquement en plein élan. Encore quelques légers petits coups à la porte.

*« Oui ?*

*— Ça va ?*

*— Oui ! »*

*Elle a probablement entendu des bruits de voix suspects. Nous nous séparons rapidement et réintégrons les couvertures.*

*« Entre. »*

*Alexia ouvre la porte. Devant son air inquiet, je lui tends aussitôt les bras. Elle se précipite sur le lit, trouvant une place entre Michel et moi.*

Je me retrouve dans une position fâcheuse. Naïma comprend aussitôt mon embarras. Elle rigole et saisit le visage d'Alexia qu'elle tourne vers elle. J'en profite pour revêtir ma robe de chambre avant de me réinsérer dans le lit.

Voilà une nouvelle donnée dont il me faudra tenir compte à l'avenir. Nos chambres sont vraiment proches l'une de l'autre. Je réalise qu'Alexia n'a pas du tout l'intention de regagner son lit. Je les regarde toutes les deux, serrées l'une contre l'autre. Elles sont belles.

—

Notre première semaine de famille reconstituée en garde partagée se passe sans anicroche. De maison inerte, un peu trop grande pour une personne seule, je l'avoue, je suis passé en un tournemain à un logis vivant et rempli d'énergie. Selon nos disponibilités respectives, nous assurons le transport à l'école des enfants. Côte-des-Neiges - Chomedey matin et soir aux heures de pointe. Je m'octroie le gros du service grâce à un horaire plus souple.

À l'exemple de mon père, je n'ai jamais reculé devant les heures de taxi offertes à mes filles, mes blondes et leurs enfants, la nature de mon travail permettant une flexibilité très pratique.

J'apprends ainsi à mieux connaître Laurence et Alexia. Je suis amoureux fou de Naïma, j'adore ses filles. J'ai une grande facilité à établir un contact avec elles et à obtenir ainsi leur confiance et leur respect. Mon clone n'arrête pas de me taquiner. « Tu veux, toi, hein ? » Oui, je veux. C'est un défi capotant que je me reprocherais toute ma vie de ne pas avoir relevé.

Naïma m'a raconté que l'harmonie entre ses deux filles n'allait pas de soi. Le côté *tomboy* perturbé de la benjamine donnera lieu, semble-t-il, à quelques affrontements que je devrai gérer avec tact. Je me sens d'attaque.

Ce soir, à mon retour à la maison, je trouve Naïma en petits morceaux dans la salle de bains.

« Qu'est-ce qui se passe ?

— *J'ai tenté de parler à Philippe. Il a été bête comme ses pieds. Il ne veut plus rien savoir de moi.*

— Il faut laisser passer du temps.

— *C'est ma faute. J'ai été tellement exigeante avec lui à l'école, partout...*

— Tu l'as été pour les deux autres aussi et tu vois, elles t'adorent.

— *Je n'ai pas respecté sa nature. Et quand Luc me faisait chier, je ne sais pas pourquoi, mais je pense que c'est sur Philippe que je me défoulais. Il prenait toujours pour son père. Il m'énervait tellement ! Je m'en veux à un tel point...*

— Tu m'as toujours dit que le père de tes enfants n'acceptait pas de perdre. Il avait besoin d'un trophée et quand tu l'as quitté, il a gardé ton fils pour ne pas perdre la face.

— *Luc m'avait promis que je paierais et que j'en mangerais, de la merde. Il a tenu promesse.*

— Il ne faut pas sous-estimer le pouvoir du temps. Ton fils va vieillir, comprendre ce qui s'est passé et, ensuite, rétablir les ponts. J'en suis convaincu.

— *J'aimerais tellement pouvoir te croire.*

— Continue, sans mettre de pression, à lui ouvrir la porte et il finira bien par entrer dans deux mois, deux ans, cinq ans, peu importe. »

—

Après quelques semaines de relative accalmie où chacun a tenté de trouver son espace à l'intérieur de ce nouveau contexte de vie, je sens que le naturel reprend graduellement ses droits.

Alexia, mon petit chien fou, a déjà testé les limites de Michel, qui a magnifiquement bien réagi. Je constate que son amour des enfants et sa facilité de communication avec eux étaient bien réels.

Un soir, au sortir de table, j'ai demandé à Alexia de desservir et à Laurence de s'occuper de la vaisselle. Alexia a bougonné, comme d'habitude.

« J'ai pas le goût...

— Alexia!

— Je viens de te dire que j'ai pas le goût. T'es bouchée ou quoi? »

Michel a alors décidé de s'en mêler. Il s'est approché de la petite avec un large sourire.

« Alexia, tu vas avoir affaire à moi! »

Alexia a défié Michel. Laurence lui a emboîté le pas. Je dois dire que le logement se prête admirablement bien à des poursuites avec toutes ces portes et corridors.

« Tu es bien trop vieux! Tu seras jamais capable de nous attraper! »

Je suis intervenue.

« Alexia! »

En vain. Michel a relevé le défi.

« Try me! »

Les deux enfants se sont poussées et la poursuite s'est engagée à travers toute la maison dans un vacarme d'enfer. Je ne pouvais que rire tout en plaignant ma voisine du rez-de-chaussée.

« Alexia! Laurence! Ça suffit! Il y a des gens en bas! »

Je n'ai obtenu aucun résultat. Les cris ont redoublé et Michel a dû user de ruse pour mettre la main sur la petite Alexia et, peu après, sur Laurence venue à sa rescousse. Trois vrais enfants à bout de souffle qui riaient comme des malades en s'engageant dans une séance de chatouilles mutuelles sans fin.

Mais ce soir, le devoir de réserve s'estompant, une véritable crise se profile, digne de notre vie passée. Je sens que ce ne sera pas beau et j'en ai presque honte à l'avance. Alexia et Laurence se disputent vigoureusement au sujet de la possession de leur PSP, un jeu électronique très dispendieux. La cadette n'est pas en reste au département des insultes.

« Donne-le-moi, fucking bitch! C'est à mon tour! »

Une expression typique de son père.

Laurence la nargue et se pousse à travers la maison. Alexia la poursuit en hurlant. Elle réussit à la rattraper. Laurence rigole. Alexia la frappe. Laurence réplique. Le tout risque de dégénérer très rapidement. Alexia est déchaînée.

« Alexia, arrête-moi ça tout de suite! »

Mais elle ne voit plus clair. Elle se tourne vers moi.

« Ta gueule! »

Elle réussit à se dégager de mon emprise et à gifler solidement Laurence, qui, furieuse, lui retourne la pareille.

« Laurence, ça suffit!

— Pourquoi tu l'as mise au monde? T'étais bien conne! »

Langage, encore une fois, inspiré par le vocabulaire de leur père. Elles n'en sont pas à leurs premières armes dans ce domaine depuis le déménagement.

Michel, qui a observé le déroulement de cette scène, décide d'intervenir. Il sépare fermement les deux filles.

« C'est assez! »

L'autorité qu'il dégage a un effet dissuasif immédiat. Il les entraîne à sa suite à l'extérieur pour leur faire part de sa perception d'une telle conduite.

Les dernières années ont été parsemées de ces attitudes et de ces mots irrespectueux et blessants envers les uns et les autres, trop souvent à mon endroit. Où ont-ils appris ces comportements et ce langage? À l'école? À la maison, au cours de nombreux échanges musclés entre leurs parents? Cette conduite

*n'était-elle pas, il n'y a pas si longtemps, l'apanage des garçons ?*
*J'assume la responsabilité de cet échec. Je n'ai pas réussi à leur*
*inculquer le respect et l'amour de l'autre, leurs parents inclus.*
*Bonne chance, Michel !*

⏤

J'assois les filles, maintenant calmées, devant moi dans
la cour arrière, loin de la présence de leur mère. Je suis très
sérieux. Un vieux pro ! Je ris de me revoir dans une telle situation
à soixante ans.

« Est-ce que vous aimez votre mère ? »

Elles acquiescent, un peu intimidées.

« Pourquoi vous lui parlez comme ça si vous savez que vous
lui faites de la peine ? »

Alexia, de mauvaise foi, est la première à répondre.

« Elle gueule tout le temps. »

Laurence sent le besoin d'expliquer.

« Avec mon père, c'était toujours la guerre. Je pense qu'ils
étaient pas faits pour vivre ensemble.

— Ici, c'est pas la guerre. Au contraire. Je peux comprendre
que vous vous chicaniez à l'occasion, mais ce n'est pas une
raison pour utiliser un tel langage envers votre mère. J'aime
Naïma, j'apprends à vous connaître et à vous aimer vous aussi
et je veux qu'on soit tous heureux ensemble. S'il y a des choses
qui ne font pas votre affaire, vous le dites et on va essayer de
trouver des solutions. Pas besoin d'insulter Naïma pour ça. On
essaye ça ? »

Elles acceptent d'un hochement de tête.

« Vous repartez chez votre père dans deux jours et je veux
qu'on finisse la semaine en beauté. »

Ah, le pouvoir de l'âge ! Mais combien de temps durera-t-il ?

⏤

*Les enfants sont couchées. Nous nous rejoignons dans le*
*bain, devenu notre lieu privilégié de confidences.*

*« Tu croyais accueillir un rayon de soleil, mais j'ai bien peur que tu te sois mépris.*

*— Quand je te regarde, je sais que je ne me suis pas trompé. »*

*Ce soir, je me sens mal. Il m'accueille comme une reine avec mes enfants et mes problèmes et je ne suis même pas amoureuse de lui. Il s'est transformé en chauffeur de taxi et il va même conduire mes filles chez leur père la fin de semaine, à Chomedey, à proximité de notre ancienne maison, là où Luc s'est finalement installé. J'ai l'impression d'abuser. Je me sens coupable d'avoir accepté son arrangement, mais j'avoue être bien avec lui.*

*« Philippe t'aimerait ! »*

*Il sourit.*

*« Et toi, tu m'aimes ? »*

*Je suis incapable de répondre par l'affirmative. Je baisse la tête et je vais me coller sur lui. Il me serre amoureusement.*

*La petite Alexia, terrorisée à la suite d'un cauchemar, entre dans notre chambre en m'appelant. Puis, voyant la lumière dans la salle de bains, elle s'y précipite. En nous apercevant, elle recule, troublée de me voir nue dans la baignoire avec un autre homme que son père. Je sors du bain et je l'entraîne avec moi pour la rassurer.*

—

J'entre au centre d'accueil accompagné de Naïma, qui veut rencontrer mon vieil oncle Émile. J'avoue avoir été favorablement impressionné la première fois que j'y ai mis les pieds. Beaucoup de lumière. Personnel accueillant. Propreté des lieux. Ce n'est pas la joie de terminer ses jours dans un tel endroit, mais je m'imaginais une résidence beaucoup plus déprimante.

Émile est installé dans une grande chambre de coin qu'il partage avec un homme en chaise roulante, un anglophone, Bert. Le soleil inonde la pièce, dissipant toute impression de grisaille. J'apporte des petites douceurs pour lui. Il est assis confortablement sur une chaise rembourrée.

« Mon oncle, je vous présente Naïma. »

Il sourit.

« Encore une nouvelle ? »

Naïma est intimidée.

« Nous vous avons apporté du saumon fumé et...

— ... *deux bouteilles de Dubonnet.*

— La dernière fois, ils ont mis le saumon dans le frigo, puis il y a quelqu'un qui l'a mangé ! Chaque fois que tu m'en apportes, tout le monde veut en avoir ! »

Son ton gouailleur m'amuse.

« En voulez-vous tout de suite ? »

Il hoche la tête.

« Je vais aller le porter au poste de garde et je vais les avertir de ne pas y toucher. »

Il me retient.

« Pourquoi tu t'occupes de moi comme ça ? Je suis juste ton vieil oncle... »

Il me repose cette question presque à chaque visite, les yeux pleins d'eau. Je regarde Naïma, émue. Je répète la même réponse.

« Si j'avais eu les moyens de continuer à vous payer vos aides pour que vous restiez dans votre maison, je...

— Je pensais bien finir ma vie chez nous, mais... Ils sont tous très gentils ici avec moi... sauf une... »

Il retrouve son ton espiègle.

« ... une petite jeune, une Arabe. Elle est bête comme ses pieds. On dirait qu'elle est toujours menstruée ! »

Je regarde Naïma, qui ne bronche pas. Émile n'a pas réalisé son manque de tact.

« Et puis, il y a lui, de l'autre côté, avec qui je m'engueule tout le temps. Un fédéraliste ! »

Bert rigole. Je sens qu'il apprécie bien Émile. Il parle avec un accent prononcé.

« Faut pas lui piler sur les pieds avec la souveraineté, parce que là il devient mauvais. »

Ils éclatent de rire tous les deux.

Lui qui a vécu ces dix dernières années seul dans sa maison, en ne voyant pratiquement personne et en attendant sa mort, semble avoir trouvé ici une certaine joie de vivre. Impression confirmée par le personnel. Ce qui s'annonçait l'antichambre de la mort se révèle finalement une source de vie. Quelle agréable surprise. Merci la vie !

—

*Je n'ai pas la garde des enfants cette semaine et ma patronne m'a donné congé aujourd'hui. J'en ai profité pour passer l'après-midi à concocter une petite surprise à Michel. Je l'attends. J'ai hâte de voir sa réaction. Ce ne sera plus très long. Je l'entends monter. Je cours à sa rencontre. Je l'invite à me suivre à la chambre. Étonné, souriant, il me suit.*

*J'ai étalé sur le lit une quantité impressionnante de vête-ments pour lui. Il est éberlué. Plusieurs pantalons, des t-shirts, des chemises, des jackets... Beaucoup de noir.*

*« Tu les essaies tous. Et je retournerai ce que nous ne garde-rons pas. »*

*Il me regarde, incrédule.*

*« Ça n'a pas d'allure.*

*— Après quatre ans de célibat, un* soft make over *s'impose.*

*— Je déteste le noir.*

*— Pourtant, ça te va super bien ! Je veux que tu aies l'air... jeune, actuel, sexy, séduisant. »*

*Conquis, il éclate de rire.*

*« D'accord ! Mais je vais payer ce que je vais garder.*

*— Il n'en est même pas question !*

*— Tu n'as pas d'argent. Tu viens de te séparer, tu as trois enfants...*

*— J'ai quand même hérité de la moitié de la vente de la maison. »*

*Il veut répliquer, mais je ne lui en laisse pas le temps.*

*« Et toi, c'est quoi le montant de tes dettes ? Si j'avais su l'état de tes finances, il n'y aurait pas eu de voyage aux Ber-*

*mudes. En pleine crise économique ! À l'âge que tu as, il est plus qu'urgent de commencer à économiser. »*

*Je rigole.*

*« Il était temps qu'une autre femme entre dans ta vie. »*

Là, sans le réaliser, elle vient de toucher un point sensible. Je n'aime pas du tout ce qu'implique cette dernière remarque. Elle me rappelle trop de mauvais souvenirs.

« Si tu veux que ça aille bien entre nous, mêle-toi pas de ça. J'ai ma façon à moi de gérer mon argent. »

*Je suis sidérée par le ton de Michel. Lui d'habitude si cool, si gentil, si calme. Une première depuis que nous nous connaissons. Je voulais tant lui faire plaisir.*

———

Cette question fut la pomme de discorde de mes cinq ans de vie commune avec Caro. Et peut-être même l'une des raisons de notre rupture. Je n'ai pas l'intention de revivre cette situation. Quelle meilleure façon d'expliquer ma réaction à Naïma que de lui faire part d'un épisode caractéristique de cette lutte de pouvoir financier ?

Je venais d'offrir un bijou très dispendieux à Caro, autant pour me faire plaisir que pour lui faire plaisir. La surprise passée, elle me l'a aussitôt rendu.

« Je ne peux pas accepter ça. »

Je suis demeuré stupéfait.

« C'est un cadeau ! »

Puis, j'ai monté le ton.

« J'ai le droit de profiter de mon argent avant d'être trop vieux pour le faire. Peux-tu comprendre ça ?

— Tu es irresponsable ! »

Je me suis enflammé.

« Ah oui ? Quand est-ce que je t'ai demandé de l'argent ?

— Là, tes affaires vont bien, mais tu sais comme moi que ça ne durera pas éternellement et que tu n'as rien devant toi, même pas de REER.

— Ma vie n'est pas finie ! Je suis en santé ! Je suis en amour ! J'ai d'autres contrats d'écriture qui arrivent... »

Elle est devenue ironique.

« Quand il n'y en aura plus, il y en aura encore... C'est ça ? La pensée magique ? »

Là, j'étais pompé.

« C'est pas de la pensée magique. Je suis passionné par ce que je fais et je travaille en crisse pour que ça continue. Et j'ai fait ça toute ma vie. Tu ne m'empêcheras pas de dépenser mon argent comme je veux, et ce n'est pas négociable ! »

J'ai vu ses yeux s'embuer, mais je suis quand même sorti en claquant la porte. Je ne suis revenu qu'au milieu de la nuit.

Après coup, j'ai compris que sa grande insécurité financière provenait de son enfance et de son éducation. Son père n'arrivait pas à subvenir aux besoins de sa famille. Ils étaient tous stressés. Chaque dollar gagné revêtait une importance considérable. Plus tard, après son divorce d'avec le père de ses enfants, elle s'est retrouvée seule. Elle a dû retourner aux études, réussir son droit et elle a toujours été marquée par l'importance et la valeur de l'argent. Mais ma foi en la vie m'empêchait de partager ses peurs.

*Je vois très bien le parallèle entre nos situations. Je m'iden-tifiais beaucoup à Caroline tout au long de ce récit.*

« *Tu n'as pas besoin de toujours tout donner pour que les gens t'aiment.*

— L'argent n'achète pas l'amour. Par contre, je ne veux pas arrêter de faire ce qui me rend heureux. Personne ne va me contrôler. »

*Devant mon état de choc où un plaisir anticipé venait de se transformer en cauchemar, il m'enlace.*

« Je m'excuse pour ma réaction épidermique. »

Je vois la peine imprégnée sur son visage. Je me radoucis. Je fais un effort. Après tout, je ne veux pas l'apeurer outre mesure. J'ai juste « pissé » mon territoire.

« J'accepte ton cadeau et je vais essayer tous les vêtements. »

Nous nous étreignons après notre première véritable confrontation.

∼

Je me rends au bureau de mon ami, directeur des programmes de la station télé où je livre mes capsules. Je suis confiant. Je lui ai proposé de développer un projet de série policière avec un contenu social substantiel, actuel et très solide. Très commercial. J'ai bien besoin de ce projet en ce moment. Mes finances sont à leur plus bas depuis longtemps.

Quelle douche d'eau glaciale !

« Je ne peux pas accepter... Crisse ! Sors de ta bulle ! Renouvelle-toi ! La relève est là et elle est bonne ! Arrête de toujours ressasser tes mêmes vieilles histoires d'Arabes pis de guérisseurs ! »

Je contre-attaque. L'allusion aux Arabes me touche en plein cœur, évidemment.

« Qu'est-ce que tu reproches concrètement à cette série ?

— Je vais te répondre comme les investisseurs t'ont déjà répondu. Trop commercial pour être sérieux et trop sérieux pour être commercial. Du gaspillage des deux côtés. Je t'aime. Tu es mon ami. Je veux qu'on continue à travailler ensemble, mais botte-toi le cul ! Renouvelle-toi ! Tu n'es quand même pas si vieux que ça ! »

∼

Je suis dans la merde. J'ai déjà revendu mes parts de la maison à Caro il y a quelques années à la suite des deux divorces et d'une baisse de revenus. Mes marges et mes cartes de crédit sont au maximum. Si je dois faire faillite, comment Naïma, qui vient d'emménager, réagira-t-elle ? Surtout après les discussions que nous venons d'avoir sur le sujet. Je risque fort de la perdre.

J'ai déjà connu des périodes financières fastes et d'autres très difficiles au cours de ma carrière, mais j'avoue que celle-ci est la plus sérieuse. Vers qui puis-je me tourner à court terme ? Je n'ai pas encore commencé à rembourser ma fille ni les quelques amis qui m'ont prêté de petites sommes de dépannage.

—

J'ai dû me résoudre à téléphoner à un ami producteur et distributeur que je n'ai pas vu depuis plusieurs années et qui aurait les moyens de m'aider. Que vais-je lui dire ? La vérité, bien sûr. Je me retrouve devant lui à la table d'un restaurant. Il semble content de me revoir. Je lui ai déjà laissé entrevoir au téléphone que j'avais besoin de son aide.

Je suis humilié, embarrassé de me trouver dans cette situation précaire à mon âge, après tout le trajet parcouru à ce jour. J'ai la gorge nouée. Nous en venons rapidement au but.

« De combien as-tu besoin pour faire le pont ? »

Je me ferme les yeux et je lance un petit chiffre.

« Cinq mille.

— Ris pas de moi. Combien ? »

Est-ce trop ou pas assez ? J'ose.

« Quinze ?

— Après le lunch, je vais passer à mon bureau et je vais te faire un chèque de vingt-cinq.

— Merci ! »

Je suis touché, incapable d'articuler autre chose. Il comprend mon humiliation. Il met la main sur mon bras et me sourit.

« Ça me fait plaisir. S'il y a quelqu'un qui mérite d'être aidé, c'est bien toi ! »

Merci la vie, encore une fois. Je tente de rigoler un peu pour me remettre de cette émotion.

« Je pouvais même pas gâter un peu ma nouvelle blonde. »

Il sourit.

« Au moins, tu es sûr qu'elle ne t'aime pas pour ton argent ! Au fait, j'ai appris que tu revenais des Bermudes ? »

La question qui tue.

« L'amour, c'est pas mal plus important que l'argent. C'est un meilleur investissement. »

Je ris. Lui aussi. Il me connaît.

—

Fort de ce répit financier, la vie quotidienne a pu reprendre son cours. J'ai beau répéter à Naïma et à ses filles qu'elles doivent considérer cette maison comme la leur, je constate qu'elles semblent toujours se voir comme des invitées. J'admire la délicatesse et les efforts de Naïma à ne pas vouloir chambouler l'organisation du logis et de ma vie. Elle prête une attention toute spéciale, en ce sens, à Laurence et Alexia, surtout que la petite dernière n'a visiblement pas encore digéré la séparation de ses parents et son déracinement de son Chomedey natal.

Débordante d'énergie, capable de grands élans de générosité, la benjamine est tout de même perturbée et peut se montrer rebelle, colérique et arrogante, exigeant alors de bonnes doses de patience, d'attention et d'amour.

Nous achevons notre souper. Laurence en profite pour faire fâcher sa mère en mangeant exagérément mal. Je ne comprends pas. À quatorze ans! Naïma m'a toujours parlé de la sensibilité et de la maturité de son aînée. Il est vrai qu'elle a également un côté baveux qu'elle affectionne. Je la vois ouvrir la bouche toute grande pour laisser apparaître plein de nouilles qui en profitent pour s'échapper. Elle se trouve très drôle. Alexia, dans un désir constant de tester son nouvel environnement, rit comme une malade, l'encourage et l'imite.

« Laurence! Laurence! »

Plus Naïma crie, plus les enfants rigolent.

Je n'ai jamais reçu le soutien de Luc quand il s'agissait de leur enseigner un minimum de bonnes manières. Je ne peux m'empêcher de glisser une pointe à ce sujet.

« C'est ça que vous apprenez chez votre père? »

Laurence répond la bouche pleine, exprès. Elle sait sur quel bouton appuyer pour m'exaspérer. Elle rit de mes remontrances et continue sur sa lancée sans réaliser qu'elle dépasse la mesure.

« Chez notre père, au moins, on n'a personne toujours sur notre dos! Fais pas ci, fais pas ça, ferme ta bouche quand tu manges... C'est pas un control freak! »

Je regarde Michel. J'ai terriblement honte.

Je crois qu'il est temps que j'intervienne, à ma façon. Amusé, je lance une menace.

« LAURENCE !

— Toi, mêle-toi pas de ça ! »

Je réitère ma mise en garde.

« Laurence...

— Ose même pas. »

D'un geste vif qu'elle n'a pas le temps de parer, je lui enfonce le visage dans son assiette de pâtes aux tomates. Surprise, elle relève la tête, le visage tout rouge. Alexia rit aux éclats. Je l'enligne à son tour. Je saisis sa tartine de Nutella et la lui écrabouille sur le visage en prenant bien soin d'appuyer suffisamment longtemps pour qu'elle en soit imprégnée.

« *Michel ! Michel !* »

*Je ne peux m'empêcher de rire malgré moi.*

*Pendant que les filles, sous le choc, se débarbouillent tant bien que mal, je me lève.*

« *Débrouillez-vous toutes seules ! Je vais prendre ma douche.* »

Laurence et Alexia se consultent du regard. Je sens la menace et je m'esquive à la suite de Naïma. Complices, elles se lancent à ma poursuite, me pourchassant d'une pièce à l'autre. Elles réussissent à m'encercler et à m'immobiliser. Elles attaquent mon point faible. Je suis extrêmement chatouilleux. Elles s'en donnent à cœur joie alors que, sur le plancher, à leur merci, je me débats comme un diable dans l'eau bénite.

—

*Aujourd'hui, j'ai conduit les filles chez leur père, dans le quartier où j'ai grandi et élevé mes enfants. Je les aide avec leurs bagages. J'ai eu droit avant de partir à une crise d'Alexia, qui voulait apporter des vêtements tout neufs. J'ai refusé parce qu'elle ne les rapporte jamais et que je suis alors forcée d'en acheter d'autres.*

Luc est sorti de la maison et s'est approché. Alexia lui a sauté au cou tandis que Laurence l'a salué et a passé son chemin. Philippe est alors apparu sur le seuil. Luc m'a adressé la parole de façon à être entendu par les enfants.

« Je fais faire une enquête sur ton chum !

— De quel droit ? Penses-tu que je n'en ai pas fait faire une avant d'y laisser mes filles ? »

J'ai eu droit à son sourire baveux.

« Crisse, allume ! Écoutes-tu ce qu'il raconte à la télé ? Il n'est pas question que mes filles vivent avec un fucké comme ça !

— Parce que toi, en laissant les enfants faire tout ce qu'ils veulent... »

Je n'ai pas le temps de terminer ma phrase.

« Je pense que ton enquêteur, s'il existe, en a oublié des bouts. Je vais récupérer les enfants plus vite que tu penses. »

Je suis retournée à la maison, anxieuse, inquiète et de mauvaise humeur. Il a le don de faire sortir le méchant en moi.

—

Michel me sourit, rassurant.

« Je n'ai rien à cacher. C'est quoi son problème ? *Get a life, man !* »

Nous sommes au salon, collés l'un contre l'autre, à la veille d'aller nous coucher. Je suis encore secouée. Dans ces moments-là, je me questionne sur tout.

« Qu'est-ce que je fais ici ? Si je tombe vraiment en amour avec toi, je suis faite. Des fois, je me dis que ça n'a aucun sens. »

Je lui réponds avec douceur.

« Est-ce que tu es bien ici ?

— Oui... mais dans dix ou quinze ans ? Tu en auras soixante-quinze et moi tout près de cinquante... Tu n'as pas d'argent, pas de REER, pas de fonds de pension, plein de dettes... Avec le salaire que je fais, je ne peux pas te faire vivre ici ou ailleurs... J'ai trois enfants... Je panique... »

Je comprends très bien sa situation et ses arguments.

« Je ne te demande pas de me faire vivre. Ce n'est pas la première période financière difficile que je traverse et la vie a toujours été bonne avec moi. Je vais m'en remettre. Si tu étais avec un homme de ton âge, quelle garantie aurais-tu pour dans dix ou quinze ans ? Vis le moment présent.

— *Toi et ton moment présent ! C'est vrai que je n'aurais pas de garantie avec un homme plus jeune, mais il n'aurait peut-être pas gaspillé son argent comme tu l'as fait et il pourrait m'aider à subvenir à ses besoins en cas de maladie ou d'incapacité au travail. »*

*Je crois que le mot « gaspillé » a heurté Michel. Je l'ai peut-être blessé inutilement compte tenu de tout ce qu'il fait pour moi et mes enfants. J'adopte un ton plus léger pour dédramatiser.*

*« Dans le fond, tu es juste un "vieux cochon". Serais-tu devenu amoureux de moi si j'avais le corps d'une femme de ton âge ? »*

J'embarque dans le jeu.

« Comment aurais-je pu te résister ? »

Là, je niaise carrément.

« L'amour est un processus biochimique qui ne connaît pas d'âge.

— *Bullshit ! »*

*Il redevient sérieux.*

« Oui, je suis chanceux, mais quand j'aurai soixante-quinze ans et que tu en auras cinquante, j'ai de bonnes chances de me retrouver seul sans la femme que j'aime pour finir mes jours parce que tu auras rencontré quelqu'un de plus jeune.

— *Tu me connais bien mal. Mais, en fait, c'est ta responsabilité. Garde-toi en santé, fais de l'exercice pis commande-toi du Viagra... au cas où. »*

*Il s'insurge. Je ferais mieux de battre en retraite !*

—

*Le milieu de la nuit. Je ne dors pas. Je le regarde dormir. Où la vie me mène-t-elle ?*

*« Es-tu certaine que ce n'est pas un père que tu cherches ?*

— J'en suis sûre ! »

Bonsoir, charmant petit clone.

« Qu'est-ce que tu ne donnerais pas pour qu'il soit plus jeune, n'est-ce pas ?

— Il ne cesse de me répéter que je ne l'aurais pas aimé à quarante ans. Il était impatient, irascible, égoïste, agressif, colérique. Il a travaillé fort pour devenir ce qu'il est aujourd'hui, même si c'est encore loin d'être parfait. »

Je caresse le front et les cheveux de Michel avec tendresse... et doute.

Caroline nous a invités chez elle en fin de semaine. Quelques-uns de ses amis seront de la partie, paraît-il. Michel a accepté tout de suite avec plaisir, non sans m'avoir demandé mon opinion. Comment pouvais-je refuser ?

« Tu es donc bien naïve ! »

Bon, le clone est encore de retour. Il ne me donne aucun répit.

« Qu'est-ce que tu insinues ?

— Tu n'as pas encore compris qu'il est toujours en amour avec elle. Il reste au-dessus et ils sont en constante communication.

— Il est aussi en contact avec la mère de ses enfants.

— Et avec plein de ses ex-maîtresses.

— Je l'admire d'avoir réussi à demeurer en bons termes avec elles.

— C'est un homme à femmes. Que représentes-tu pour lui ? Quel numéro t'a-t-il attribué sur sa liste ? Qu'est-ce que tes amies, ton frère, tes sœurs pensent de cette proximité avec son ex ? »

Je connais trop bien la réponse. C'est pourquoi j'ai arrêté de leur en parler. Au début, quand il me présentait à une de ses ex-maîtresses du temps de son célibat, je le prenais pour un vantard. Mais non, il voulait tout simplement, disait-il, éviter que je ne l'apprenne par d'autres.

*« Elle est avocate, bien davantage en moyens que toi. Ils ont trippé ensemble au cours de leurs nombreux voyages. Tu n'es qu'un pis-aller ! »*

*Cette pensée m'obsède. Dans le fond, je dois me dire que je ne lui appartiens pas. Que je ne suis pas amoureuse de lui. Que je suis en transition.*

*« Depuis l'annonce de ton divorce, combien d'invitations masculines as-tu reçues ? Peut-être devrais-tu commencer à regarder ailleurs.*

*— Peut-être, après tout... »*

*Devant mon hésitation, elle insiste.*

*« Qu'est-ce que tu attends ?*

*— Oui, mais il m'aime et je vis avec lui.*

*— Toi, l'aimes-tu ? Vas-tu gaspiller ta vie en attendant que l'amour naisse par miracle ? »*

*Je suis mêlée, tiraillée...*

—

Naïma est sortie ce soir avec un homme, plus jeune que moi évidemment. Un client de la boutique. Je suis inquiet.

« Tu es con. »

J'étais sûr d'entendre sa voix ce soir.

« Tu l'invites à demeurer chez toi avec ses enfants. Tu la sors du pétrin. Tu ne lui demandes aucun loyer. Et tu la laisses flirter à l'extérieur comme ça ? »

J'essaie d'argumenter.

« Elle est en transition. Elle n'est pas amoureuse de moi. Je dois tenir ma promesse. *No strings attached.*

— C'est ça, morfonds-toi comme un imbécile ! Combien d'hommes accepteraient une telle situation ? »

Je m'enflamme.

« Je me fous de ce que les autres hommes feraient à ma place. Je ne pouvais ni ne voulais le lui interdire, l'attacher. Ça ne m'aurait pas servi ultimement.

— Ridicule. »

J'attends le retour de Naïma avec impatience, incapable de me concentrer sur quoi que ce soit.

—

*Je rentre à la maison avec joie. J'avais tellement hâte que cette rencontre se termine pour retrouver Michel. En fait, je cherche un homme qui possède ses qualités d'ouverture, de tolérance, d'intelligence, mais qui soit plus jeune et en meilleure santé financière. Celui avec qui je viens de passer les dernières heures ne lui arrive pas à la cheville.*

*Michel m'accueille avec joie et soulagement. Je lui raconte ma soirée. Il est rassuré. Je suis heureuse de me retrouver dans ses bras, de l'embrasser, de le caresser. Il a rapidement appris mes préférences en matière sexuelle et c'est avec délices que nous nous retrouvons au lit à nous faire plaisir mutuellement.*

—

*Nous sommes descendus chez Caroline pour répondre à son invitation. Je l'aide à préparer les hors-d'œuvre. Je joue le jeu. Elle est gentille à mon égard et semble m'apprécier. Je ne veux pas, à cause de mon éternelle insécurité, briser le lien d'amitié qui l'unit à Michel. Je la regarde sortir d'appétissantes bouchées du four. J'admire sa sveltesse.*

*« Il est tellement beau ton pantalon. Tu es chanceuse de pouvoir porter ça. Tu as de plus petites fesses que moi.*

*— Ben voyons donc. Mes fesses ne sont pas plus petites que les tiennes ! »*

Elles ne m'ont pas vu arriver. Je rigole de les voir comparer la taille de leurs fesses.

« En fait, le seul qui peut trancher sur cette question existentielle, c'est moi ! Objectivement, à part ça. »

Elles s'esclaffent, mais Naïma, rougissante, quitte la pièce en disant :

*« Laisse tomber ! »*

*Je l'ai vu faire un clin d'œil de complicité à Caroline. Je suis agacée.*

—

*Le souper va bon train. Trois autres invités partagent le repas avec nous, un autre couple, des amis de Bernard, et Isabelle, compagne de travail de Caroline. L'ambiance est conviviale. Le souper est déjà bien arrosé. Chacun y va de ses petites remarques humoristiques sur tout et sur rien. La conversation bifurque sur les rencontres. Isabelle s'adresse à nous.*

« Comment vous êtes-vous rencontrés ?

— Une *blind date* qui a bien tourné. Une amie commune nous a présentés. Pour moi, ce fut instantané et, deux mois plus tard, Naïma déménageait ici, en haut, avec deux de ses enfants. »

Isabelle est étonnée.

« Wow ! Ça c'est plus rapide que Caroline et Bernard. Je me souviens, c'était à un *party* de bureau, au mois de septembre... Je vous avais entendus dans les toilettes... Ça avait l'air de *swinger* fort. »

Bernard me regarde avec un petit sourire.

« Le 5 septembre ! »

*Je suis surprise. Je regarde Caroline.*

*« Tu as quitté Michel au mois de novembre et c'est seulement au mois de septembre suivant que tu as rencontré Bernard ? Je ne pensais pas que tu étais restée seule aussi longtemps. »*

*Caroline rougit, de plus en plus mal à l'aise. Bernard rigole. Michel, silencieux, sourit et regarde Caroline, puis moi. Il rectifie.*

« Non, Naïma ! Elle a rencontré Bernard avant de me laisser. Je ne savais juste pas quand exactement. »

*Michel éclate de rire. Isabelle réalise tout à coup sa gaffe. Je garde les yeux rivés sur Michel alors qu'Isabelle patine.*

*« Non, je ne pense pas qu'il se soit vraiment passé quelque chose à ce moment-là et je crois qu'ils se sont revus beaucoup plus tard dans le courant de l'automne. »*

*Elle se tourne vers Caroline pour une aide qui ne vient pas. Michel ironise.*

« Tu patines mal, Isabelle. »

*Rougissante, Caroline tente de sourire malgré tout. Elle se lève.*

« Je vais aller préparer les fromages.

— C'est la première fois que je te vois rouge de même ! »

*Michel rit de plus belle et tout le monde aussi. Je ne comprends pas. Comment peut-il rire du fait qu'elle l'a cocufié ?*

—

*Plus tard le même soir. Je suis couchée et j'entends les râles de plaisir de Caroline et Bernard émanant de leur chambre située au-dessous de la nôtre. Je rigole avec Michel tout en ressentant un certain malaise.*

« Toute une insonorisation !

— Les fenêtres sont grandes ouvertes.

— *Est-ce qu'elle criait comme ça quand tu lui faisais l'amour ?*

— Fallait fermer les fenêtres. »

*Il ne veut pas répondre sérieusement, peut-être pour ne pas me rendre mal à l'aise. Je ne suis pas très vocale en amour. Peut-être aussi que je l'excite moins. Je cherche à comprendre. J'ai toujours mille questions qui surgissent dans mon esprit à propos de n'importe quoi. Ce n'est pas de tout repos. Nous entendons de nouveaux cris de jouissance.*

« Je te regardais pendant qu'Isabelle se mettait les pieds dans les plats. Tu riais. Comment te sentais-tu vraiment ?

— C'est le passé ! Ça fait déjà quatre ans. C'était juste drôle.

— *Veux-tu bien m'expliquer comment tu fonctionnes ?*

— Elle m'a dit, un soir à minuit, un 10 novembre, que tout était fini entre nous, qu'elle avait rencontré quelqu'un d'autre. À huit heures le lendemain matin, elle était partie. Je ne l'avais pas vu venir du tout. Elle s'est loué un petit appartement et j'ai vécu seul avec ses gars pendant six mois. Ils avaient dix-huit et vingt et un ans à l'époque. C'était mon choix... »

*Je comprends de moins en moins.*

« *Ses gars sont restés avec toi ?*

— Oui. »

*Je suis incrédule.*

« *Et tu as été capable de couper le sentiment amoureux comme ça ?*

— Oh non ! »

Je lui dois des explications. J'avoue ne pas toujours réagir selon la norme. En fait, le soir de l'annonce, j'ai eu une première réaction épidermique. J'ai crié à Caro que je serais sorti de sa vie et de cette maison dès le matin venu. Nous n'avons pas dormi de la nuit, emmuré chacun dans notre malheur respectif.

Elle est partie travailler très tôt le lendemain matin. J'ai tout de suite téléphoné à mes filles et à mon amie France pour leur annoncer notre rupture. Je pleurais au téléphone. Elles ont accouru.

Au fil des vingt-quatre heures suivantes, j'ai exploré dans ma tête et dans mon cœur les portes de sortie les moins douloureuses. J'ai rappelé Caro et nous nous sommes vus dans un petit restaurant, les yeux rougis et bouffis de fatigue. J'avais peine à parler.

« Nous avons passé près de cinq ans ensemble. Ce n'est pas parce que tu pars que je ne t'aime plus. »

Elle n'en menait pas large, dévorée par une certaine culpabilité et par la douleur qu'elle voyait sur mon visage.

« Je ne peux pas croire que tu n'as pas vu tous les signaux que je t'envoyais depuis quelques mois. »

Non, je n'avais rien vu. Avais-je manqué d'attention ? L'avais-je tenue pour acquise ? Avais-je été tout simplement aveuglé par mon amour ?

« Si tu veux m'aider, nous pouvons transformer notre relation en amitié. Ce sera beaucoup plus facile pour moi... au lieu de tout perdre, notre maison, nos familles, nos amis communs...

Je te perdrais comme blonde, mais tu ne disparaîtrais pas de ma vie. Je te garderais comme amie. »

J'ai senti qu'elle ne me croyait pas. Je savais que j'avais quelques mois d'enfer à vivre... jusqu'en janvier, et qu'après, je serais capable de remonter la pente. Il était plus facile pour moi qu'elle fasse toujours partie de ma vie, même si c'était sur un autre mode. C'était très égoïste de ma part. Je n'avais aucune intention de la reconquérir.

Je préférais, du moins pour un certain temps, vivre avec ses garçons, ce qui m'évitait la solitude et la gardait près de moi d'une certaine façon. Le temps de franchir cette épreuve.

Lentement, la maison a évolué en un véritable bordel, les *partys* et les appels téléphoniques se succédant à toute heure du jour et de la nuit. J'ai parlé aux gars et j'ai fini par demander l'aide de Caro. À ma grande surprise, elle a pris la décision de les mettre à la porte pour les obliger à se prendre en main. Je me sentais extrêmement mal à l'aise d'avoir provoqué leur exclusion. Avec le temps, j'ai dû admettre qu'elle avait eu raison. Ils se sont assumés et ils vont très bien aujourd'hui. J'adore les revoir à l'occasion.

*Je l'écoutais, fascinée. Si tout avait pu se passer de façon aussi respectueuse avec Luc ! Pour nous et pour les enfants. Mais en aurais-je été capable moi-même après tout ce que j'avais vécu ?*

« Ma séparation avec Élizabeth s'était déroulée de façon aussi simple après vingt-cinq ans de vie commune. Nous étions allés au bout de notre relation. Les enfants avaient déjà quitté le nid familial. Nous étions mûrs pour vivre de nouvelles expériences. Je suis même allé la chercher à l'aéroport lorsqu'elle est revenue de Paris avec son nouvel amoureux.

— *C'est bien, mais ce n'est pas banal.* »

*Nous entendons les ébats de Caroline et Bernard culminer dans un orgasme retentissant. Nous éclatons de rire. Mais devant ce récit, je ne peux que m'inquiéter.*

« *Tu l'aimais tellement, Caroline, qu'est-ce qui me dit que je ne suis pas un pis-aller ?*

— Caro m'a tenu le même langage lorsqu'elle a rencontré la mère de mes enfants pour la première fois. Elle se trouvait moins éclatante. Mais ça n'a rien à voir. Chaque amour est différent, spécial. Je t'aime comme un fou.

— *Comme avec Caroline... comme avec la mère de tes enfants... Tu aimes toujours comme un fou. Tu es un passionné. Tu ne peux pas faire autrement. Je ne suis peut-être qu'une autre sur la liste...*

— Oh non ! Je vis l'amour que j'éprouve pour toi beaucoup plus intensément parce que j'ai déjà goûté à ce que c'est que de le perdre. »

—

Je suis en studio pour livrer ma capsule hebdomadaire. J'ai choisi aujourd'hui de faire un éloge bien particulier qui intéresse tous les couples depuis que le monde est monde. Je l'aborde avec le même ton humoristique et provocant que j'ai adopté depuis le début de l'année. Avec la bénédiction cette fois de ma recherchiste et de ma réalisatrice, qui s'interrogent cependant sur l'effet de mes propos sur ma vie amoureuse.

—

### L'ÉLOGE DU MENSONGE EN AMOUR

« NOUS MENTONS TOUS LES JOURS. QUE CE SOIT PAR POLITESSE, PAR GENTILLESSE, PAR COUARDISE, PAR LÂCHETÉ, PAR ÉGOÏSME, PAR COURAGE OU PAR AMOUR.

UNE PERSONNE QUI VOUS EST CHÈRE TRAVERSE UNE PÉRIODE DIFFICILE. ALLEZ-VOUS L'ENFONCER ENCORE DAVANTAGE EN LUI AVOUANT, CE QUI SERAIT VRAI, QU'ELLE A L'AIR VIEILLIE, DÉPRESSIVE, FATIGUÉE, MAL EN POINT ?

DES VIOLEURS VOUS SÉQUESTRENT POUR VOUS FAIRE AVOUER OÙ SE CACHE VOTRE AMOUR, ALLEZ-VOUS MENTIR POUR PROTÉGER CETTE PERSONNE DE SÉVICES ASSURÉS ?

VOTRE EMPLOYÉE PORTE TOUJOURS UNE TENUE VESTIMENTAIRE QUE VOUS TROUVEZ LAIDE, ALLEZ-VOUS TOUS LES JOURS ENTRER AU TRAVAIL EN L'ACCUSANT DE MANQUER DE GOÛT, MÊME SI ELLE VOUS DEMANDE VOTRE APPRÉCIATION ?

NOUS MENTONS TOUS LES JOURS, AUTREMENT LA VIE EN SOCIÉTÉ SERAIT IMBUVABLE.

VOTRE COUPLE BAT DE L'AILE ET VOUS VOULEZ LE PRÉSERVER ? POURQUOI PAS UNE PETITE AVENTURE EXTRACONJUGALE POUR LE SAUVER OU LE REVIVIFIER ? VOUS AVEZ BESOIN DE PIQUANT ET UNE OCCASION INESPÉRÉE SE PRÉSENTE D'AVOIR UN RENDEZ-VOUS GALANT AVEC UNE PERSONNE RÊVÉE.

IL EXISTE, QUE VOUS LE CROYIEZ OU NON, DES AGENCES SPÉCIALISÉES DANS L'ORGANISATION DE RENDEZ-VOUS AMOUREUX CLANDESTINS SANS RISQUES. ICI ET EN EUROPE. ELLES NE DEMANDENT QU'À VOUS AIDER EN S'OCCUPANT DES RÉSERVATIONS, DES FRAIS ET DES MENSONGES TÉLÉPHONIQUES À LIVRER À VOTRE CONJOINT(E) LE CAS ÉCHÉANT.

IL VOUS FAUDRA CEPENDANT APPRENDRE L'ART DE BIEN MENTIR ET DE VOUS DÉBARRASSER DE VOTRE CULPABILITÉ. LE COMPLEXE JUDÉO-CHRÉTIEN A LA VIE DURE. CONSULTEZ AU BESOIN.

LES SÉPARATIONS ET LES DIVORCES SONT BEAUCOUP TROP NOMBREUX AU QUÉBEC. COMBIEN POURRAIENT ÊTRE ÉVITÉS SI VOUS CULTIVIEZ CET ART ?

COMME L'A DÉJÀ DÉCLARÉ JANETTE BERTRAND, SANS DIRE QUE LE MENSONGE EST LE CIMENT DU COUPLE, DIRE TOUTE LA VÉRITÉ TOUT LE TEMPS EN EST SÛREMENT LA FISSURE.

QUE VOUS L'ADMETTIEZ OU PAS, IL EST VRAI QUE PARFOIS, JE DIS BIEN PARFOIS, L'INFIDÉLITÉ, ÇA MARCHE ! DÉCOUVREZ LA BEAUTÉ ET LES BIENFAITS DU MENSONGE... ET SA LAIDEUR SI JAMAIS VOUS VOUS FAITES PINCER... SI ÇA VOUS CONVIENT. »

—

Au sortir de cette émission, Bianca, tout sourire, m'apostrophe.

« Dire que je t'ai présenté Naïma. Tout pour la rassurer, si je comprends bien.

— Elle ne doute pas de mon amour.

— Et toi ?

— Nous n'en sommes pas encore là. C'est long, mais j'ai confiance.

— Naïma m'a raconté qu'à l'occasion elle ne dédaignait pas rencontrer d'autres hommes pour voir si...

— Je sais.

— Comment te sens-tu là-dedans ?

— Je conserve la foi !

— *Risky business* !

— Je n'ai jamais reculé devant les défis. »

Même si je lui réponds avec confiance, l'inquiétude me gagne. Naïma en a vu un autre hier. Cette fois, elle avait choisi de le rencontrer pour le petit déjeuner. Comme ça, elle peut écourter la rencontre si le *prospect* s'avère inintéressant. À ce jour, ils se sont tous révélés sans lendemain. Je sens Naïma en harmonie avec moi, mais toujours pas d'étincelle qui allumerait le brasier.

—

*Magnifique journée estivale de fin mai. Nous sommes dans la cour arrière chez la fille aînée de Michel, réunis au bord de sa piscine. Toute la famille est présente, y compris Caroline et Bernard. Laurence et Alexia jouent avec le petit Fred dans la piscine, le protègent, l'amusent. Elles sont belles, mes filles.*

*Aucune raison particulière pour cette réunion sinon le plaisir d'être ensemble en ce dimanche après-midi. Personne ne semble traumatisé par les prises de position de Michel à la télé. Ou peut-être ont-ils décidé d'un commun accord, tacite ou pas, de ne pas exprimer leurs désapprobations. Ou peut-être encore l'aiment-ils tout simplement pour ce qu'il est. Ils auraient raison.*

*Pourquoi la vie a-t-elle voulu que je ne puisse même pas profiter d'un tel moment dans ma famille avec Michel ? Pourquoi ne veulent-ils pas lui donner l'occasion de gagner leur cœur ? Je parle régulièrement à Aïcha et Selim, mais je n'ai que peu ou pas de nouvelles de ma mère. Je sais qu'elle communique avec mes deux filles... par téléphone ou par courriel. Je m'ennuie d'elle malgré tout.*

*Élizabeth s'affaire à me montrer des photos datant des années où Michel et elle étaient mariés. Je m'arrête sur l'une d'elles et j'éclate de rire. Un cliché, visiblement truqué, sur lequel on voit Michel transformé en homme au corps musclé. Curieux de mon hilarité, ce dernier s'approche. Je m'amuse à ses dépens en m'adressant à son ex.*

« *Tu as connu ça, toi, chanceuse !* »

*Elle entre dans le jeu.*

« *Pourquoi penses-tu que je suis tombée en amour avec lui ?*

— Bon, ça va faire, les filles !* »

La conversation est interrompue par l'arrivée de couscous et de pastilla. Elles délaissent l'album photos. Élizabeth me taquine en faisant référence à ma dernière capsule.

« Et combien de fois nous nous sommes menti, tous les deux ?

— Pas assez souvent, tu vois bien, nous nous sommes séparés...

— Oui... après vingt-cinq ans. »

*Elle se tourne vers moi.*

« *Et quand je suis revenue de Paris avec mon nouveau mari, il est venu nous chercher à l'aéroport.* »

*Je regarde Michel. Il sourit l'air de dire : tu vois, je ne t'avais pas menti. Élizabeth me tend un petit paquet.*

« *C'est pour toi. Tu sembles le rendre heureux...* »

*Je suis touchée. J'ouvre la carte qui accompagne le cadeau et je commence à lire à voix haute.*

« *À Caroline...* »

*Je regarde Élizabeth, qui écarquille les yeux.*

« *Oh ! J'ai pas écrit ça ? Je m'excuse...* »

*Sa sincérité est évidente. Je souris en levant les yeux au ciel. Michel grimace. L'omniprésence des ex, encore une fois. Tous les autres rigolent pour colmater la gaffe. Dans la boîte-cadeau, je découvre un bijou, une broche très délicate. J'embrasse Élizabeth, qui est encore confuse.*

Je profite de l'occasion pour faire diversion. Le champagne m'a rendu de très bonne humeur. Je propose un toast. Tout le monde suit. Je regarde Naïma.

« À mon amour ! »

Je l'embrasse avec passion en l'enlaçant. Elle se dégage, mal à l'aise devant cette démonstration. Une idée surgit alors dans ma petite tête. Une idée à laquelle je ne veux pas réfléchir. Une impulsion soudaine due au champagne, ce nectar aux propriétés vivifiantes.

« Fred, viens ici ! »

Il sort de la piscine et me rejoint. Je lui souffle quelque chose à l'oreille. Il rit et acquiesce à ma demande. Je m'approche de Naïma et je mets un genou au sol en la fixant intensément. Tout le monde converge vers le lieu du spectacle. Je fais signe à Frédéric de procéder. Il s'adresse à Naïma.

« Est-ce que tu veux marier papi ? »

J'enchaîne.

« Tu ne peux pas dire non à ça ? Devant toute ma famille ? Mes ex ? Fred ? »

Je chantonne des notes de la marche nuptiale. Tout le monde connaît mes excentricités et rigole, même Laurence et Alexia... sauf Naïma, qui ne sait trop comment réagir. Je précise :

« Pas de papiers, pas de contrats, juste une grande fête de l'amour et... plein de cadeaux... »

Naïma, extrêmement mal à l'aise, a un pâle sourire.

« *Je vais y penser.* »

———

*Comment a-t-il pu ? Devant toute sa famille ! Le champagne n'est absolument pas une excuse. Pourquoi m'a-t-il humiliée ainsi ?*

« *Parce qu'il est en amour avec toi et qu'il a peur de te perdre.*

*— Mais ce n'est pas de cette manière que je deviendrai amoureuse de lui.*

*— Ta transition s'éternise...*

*— Qu'est-ce qu'il pense ? Qu'une transition ne doit durer qu'une certaine période ? »*

*Je ne veux rien savoir. Je ne veux pas prolonger ce dialogue avec mon clone. Tout au long du trajet de retour, mes lèvres demeurent scellées, malgré les questions de Michel et de mes filles. Le temps de me calmer.*

J'ai beau essayer de discuter, m'excuser, rigoler, elle ne veut rien entendre. C'est la première fois que je la vois ainsi. Ma faute était-elle si grave? Je constate que je ne la connais pas encore très bien. Il me faudra être prudent avec mes niaiseries et mes excentricités. *Ouch!*

*En entrant dans la maison, j'explose. Je claque la porte.*

*«Merci! J'ai eu l'air d'une vraie folle!*

— Ben voyons! On s'amusait!»

Elle s'enferme dans la chambre, me laissant en plan avec Laurence et Alexia. Leur air me signifie de ne pas m'en faire. Il n'y a rien là, comme on dit. Prudence.

—

Quelques minutes plus tard, nous sommes au salon. Naïma, calmée, écoute les commentaires de ses enfants. Je suis à ses côtés, mais je n'ose pas la toucher. Totalement dégrisé. Laurence a toujours eu l'écoute de sa mère.

«Voyons, maman, c'était drôle. Il t'aime et il avait juste envie de te le dire. C'était *cute*!»

Elle ajoute en me désignant...

«Moi, tant qu'à avoir un beau-père, je peux pas espérer mieux...»

Je suis touché par cette déclaration inattendue. Je lui souris. Il est vrai qu'au fil des derniers mois, j'ai développé une excellente relation avec les filles. Le respect s'est installé. Peut-être que mon âge a contribué à cette harmonie. Elles semblent plus sereines, même si je devine que la colère qu'il y a entre Luc et Naïma et qui semble s'amplifier constitue un réel danger, une source de tiraillement, d'angoisse et parfois même de désespoir.

*Je suis émue par la déclaration de Laurence. Je fixe Michel d'un air penaud et lui souris enfin.*

« *Je suis trop impulsive. Je m'excuse. Tout est encore telle-ment mêlé dans ma tête. Je ne suis pas encore tout à fait sortie de la tempête.*

*— Pour te faire pardonner, tu lui feras une pipe.*

*— Laurence ! Surveille ton langage !* »

*Je suis stupéfaite. Scandalisée. Elle n'a que quatorze ans. Alexia sent que quelque chose lui échappe.*

« *C'est quoi une pipe ?* »

*Laurence se charge de répondre à la légère.*

« *Tu demanderas à papa de t'expliquer.* »

*Elle enchaîne en me fixant droit dans les yeux, sérieuse comme un imam.*

« *Et je veux un rapport demain matin.* »

*Je ne peux m'empêcher d'être extrêmement mal à l'aise. Michel rigole et ouvre sa main.*

« Deal ? »

*Je suis désarmée. Je regarde Laurence avec réprobation. Je vois Michel qui lui octroie un clin d'œil complice, lui signifiant qu'il va s'assurer de l'exécution de la sentence.*

—

Nous sommes couchés, nus, collés l'un contre l'autre. Je le caresse à peine et il bande aussitôt. Je suis étonnée. Nous faisons l'amour plusieurs fois par semaine et je ne lui ai encore jamais vu de défaillance.

« J'aime le sexe, mais je ne pensais pas qu'à ton âge tu pou-vais fournir comme ça, que ça pouvait encore te faire tripper. C'est fou les perceptions qu'on peut avoir, parfois !

— Je suis heureux d'avoir pu contribuer à ton éducation sexuelle. »

Elle arrête ses caresses et je lui tape affectueusement l'épaule.

« Un *deal*, c'est un *deal* ! Qu'est-ce que tu attends pour t'exécuter ? »

Elle prend un air coquin.

*« Laurence me connaît bien. Tu t'es fait rouler. J'adore les pipes. »*

Je réponds sur le même ton.

« Je pense que juste pour ça, ça vaut la peine d'être avec toi !

*— Est-ce que je suis celle qui fait les meilleures pipes de toutes tes femmes ? »*

Je déteste répondre à ce genre de questions. Je suis sauvé par des cognements à la porte.

« Est-ce que ça va, Michel ? C'est en marche ? »

J'imite instantanément des cris de jouissance.

« Ah oui... oui... oui... »

*Je lui ordonne de cesser. Mais, au contraire, il augmente outrageusement ses onomatopées. À la fin, je ne peux résister au fou rire. J'entends Laurence s'éloigner. Je redeviens sérieuse.*

*« Être dans ton lit, c'est dormir à l'abri des soucis de la vie... »*

Je suis touché. Très touché. Mais, elle ne doit pas manquer à ses obligations pour autant. J'arbore un grand sourire béat.

« Je suis prêt ! »

Elle se met au travail avec plaisir, attention, raffinement, passion. Merci, Laurence !

—

Le milieu de la nuit. Je ne dors pas. Je regarde dormir Naïma. Je suis si heureux. Elle dort comme un ange. Les gens me trouvent peut-être gaga, mais je m'en fous.

Une ombre au tableau ? Oui ! Mon regard glisse sur son sein. Un kyste est apparu dernièrement. Je suis inquiet. Je m'approche. Il a grossi. Ou est-ce un effet de mon imagination et de mes craintes ? J'ai tenté de la convaincre de rencontrer mon amie France. Elle a refusé catégoriquement.

« Tu n'as rien à perdre. Elle ne demande rien. Elle ne te touche pas...

— *Je préfère attendre le rendez-vous du médecin.*

— Il est trop éloigné. Les guérisseurs, c'est comme les médecins. Ce n'est pas miraculeux. Ils ont des limites. Si on les voit trop tard...

— *Lâche-moi avec ta guérisseuse!* »

Je me suis heurté à un mur de béton, tant son scepticisme est intraitable. Je lui caresse doucement les cheveux. Elle ouvre un œil, me sourit puis referme les yeux et se love contre moi.

———

Toujours le milieu de la nuit. Je n'arrive pas à trouver le sommeil. Je réfléchis devant mon ordinateur. Ma réserve financière s'épuise rapidement. J'ai lancé des appels à tous les producteurs que je connais. J'ai soumis plein de projets, tout aussi variés les uns que les autres. Je veux bien croire que je ne suis plus la saveur du mois depuis longtemps, mais suis-je déjà à mettre au rancart à mon âge, avec toute l'expérience humaine et professionnelle acquise? Suis-je déconnecté? Selon les plus jeunes, sûrement.

Est-ce à dire que je devrais prendre ma retraite, me trouver un hobby? Peu importe l'argent, ma seule passion, à part ma famille et mes amis, c'est d'écrire des scénarios de divertissement et de réflexion.

J'ai toujours prétendu que la vie m'avait infailliblement procuré ce dont j'avais besoin. Qu'est-ce que ce sera cette fois? Et quand? Au moment où je vis une nouvelle relation amoureuse avec une nouvelle famille. Qu'est-ce que la vie cherche à me dire? Où trouver les réponses?

Je regarde le magnifique coq en verre soufflé que Naïma a fabriqué expressément pour moi. Il trône à côté de mon ordinateur, là où je peux l'admirer à cœur de jour. Si elle ne m'aime pas, je pourrais avancer qu'elle « m'estime » beaucoup.

*Je me suis réveillée. Michel n'était plus là. Je le retrouve devant son ordinateur, en profonde réflexion.*

« *Toujours pas de nouvelles pour tes projets ? Qu'est-ce que tu feras si rien ne fonctionne ? Qu'est-ce que nous allons faire ?* »

*Il esquisse un sourire qui se veut rassurant.*

« La vie ne m'a jamais abandonné.

— *Réalises-tu que je pourrais avoir à te quitter à cause de ton attitude envers l'argent ?*

— Ben voyons ! C'est juste de l'argent !

— *Je vais te le répéter au cas où tu l'aurais déjà oublié.* »

Elle est sérieuse. Je ne peux plus passer outre ses craintes. Répète-le-moi que ça finisse par me rentrer dans le coco.

« *J'ai trimé dur toute ma vie pour survivre. Mes parents ne m'ont pas aidée. Je me suis privée de tout pour que mon mari puisse étudier et que nos enfants aient tout ce qu'il leur faut. Je veux ce qu'il y a de mieux pour eux. Tu devras composer avec ça aussi.* »

Je reçois le message. Je lui souris avec beaucoup de tendresse.

« Je vais vraiment faire tous les efforts nécessaires pour ne pas te faire paniquer. Je ferai très attention.

— *Je vis sur la part de la vente de la maison pour l'instant. Avec Philippe en exclusivité chez Luc et les deux filles en garde partagée, je ne m'attends à aucune pension alimentaire, même si Luc fait quatre fois mon salaire. Je suis une employée à la boutique et je vends de mes œuvres de temps en temps. Ça ne suffira jamais à donner à mes enfants une éducation et un niveau de vie auxquels ils ont droit. Je devrai me trouver un deuxième emploi ou retourner me chercher un diplôme à l'université. Est-ce que tu peux comprendre ça ?*

— Mes contrats devraient reprendre bientôt et je pourrai alors t'aider.

— *Je ne compterai jamais là-dessus non plus. Dire que tout le monde croit que je vis avec un* sugar daddy. *Tu es un véritable désastre financier.* »

Elle m'embrasse et retourne se coucher. Il me faut trouver une solution à mes problèmes d'argent, et vite. Quelle douche d'eau froide que ce *reality check* !

—

Nous avons été « convoqués », aux dires de Naïma, à prendre le thé chez sa mère, Fatima. Je ne l'ai pas revue depuis le déménagement. Est-ce une tuile qui nous menace ou un effort de rapprochement ? Sur le chemin, j'interroge à nouveau Naïma. Avec mon optimisme habituel, je penche pour la vision positive.

« Tu n'as vraiment aucune idée de ce qu'elle nous veut ?

— *Non ! Mais je peux te garantir que ce n'est rien de bon.*

— Si c'est vraiment le cas, tu ne préférerais pas y aller seule ?

— *Elle a bien spécifié que l'invitation s'adressait à nous deux. »*

*Nous arrivons et je crois utile de lui rafraîchir la mémoire.*

« *Mes parents se sont très bien intégrés au Québec dès leur arrivée, tout en conservant leur appartenance à leur religion. Mon abandon de l'islam à l'adolescence les a marqués, d'autant plus que je fus la seule à choisir cette voie et que j'ai épousé avec enthousiasme les valeurs de ma patrie d'adoption.*

— J'ai donné le même choc à mes parents à l'adolescence en abandonnant le catholicisme.

— *Mais ils ont continué à te soutenir, eux ?*

— Oui. Par amour. Un amour inconditionnel qui leur a permis d'absorber cet électrochoc.

— *Mon frère Selim a joué le jeu de mes parents. Il a continué à pratiquer sans vraiment y croire. Aïcha a toujours été une fervente adepte et, à la fin de son adolescence, elle a décidé de porter le foulard islamique. À la mort de mon père, ma mère a senti le besoin de raffermir sa foi en portant le foulard à son tour. Ma petite sœur, elle, a toujours imité son grand frère. Dès le jour de mon mariage avec Luc, nos relations se sont espacées et détériorées. Luc détestait ma famille, qui le lui rendait bien.*

— Tu m'as bien dit qu'ils n'étaient pas fondamentalistes ?

— *Oh non ! Mais ma mère, pour se sécuriser dans ses valeurs et éviter de se remettre en question, cherche à imposer l'application des principes islamiques à toute la famille. »*

*Nous arrivons et j'appréhende la rencontre.*

À ma grande surprise, toute la famille, à l'exclusion des conjoints et des enfants, est réunie pour ce thé à la menthe. Je suis le seul « rapporté ». Cela devrait il me mettre la puce à l'oreille ? Non, j'aime toujours donner la chance au coureur. L'atmosphère est cordiale. Les sourires de mise. Le thé excellent. J'adore le thé à la menthe de même que le couscous et la pastilla. Je note que seule Naïma est tendue. Elle a hâte d'en terminer. Je soupçonne un *background* très lourd.

*Quel est le véritable but de cette mascarade ? À part Aïcha, ils se sont tous opposés à ma relation avec Michel. Ils n'ont jamais vraiment voulu le connaître. Ma mère a souvent, dans mon dos, communiqué avec mes filles pour tenter d'en savoir davantage sur ce qui se passait à la maison. Les protestations d'Aïcha ne servaient à rien. Salima ne voulait pas s'en mêler. Selim, pour sa part, s'est toujours tenu loin de ce genre de conflits. Je ne peux que me méfier de leurs sourires de façade. Voilà, nous arrivons enfin au but de cette rencontre. Allez, vas-y maman !*

« Luc est venu hier. Il m'a affirmé avoir découvert des "choses" sur Michel qu'il ne pouvait, par respect, me dévoiler. Mais que ce n'était pas sain pour tes filles. Il m'a demandé de veiller sur elles en attendant qu'il les récupère. »

*Elle se tourne vers Michel pour la première fois depuis le début de son exposé.*

« Que me cachez-vous ? »

Je suis sidéré. Ma réponse équivaut à un cri du cœur.

« Je n'ai rien à cacher. Qu'avez-vous à me reprocher ? »

*J'ai peine à me contrôler.*

« Maman, tu sais que Luc est un trou de cul ? »

J'ai utilisé cette expression volontairement pour la déstabiliser. Peine perdue.

« Surveille ton langage, ma fille ! »

En réalité, je suis horrifiée.

« Est-ce que tu le crois ?

— Il paraît que la semaine où elles sont chez Luc, elles lui en racontent des belles. Je pense à tes enfants. Ils ont été déracinés. Tu les as privés de leur culture et de leur religion. Maintenant, tu les déracines encore une fois en emmenant tes filles vivre à Montréal, loin de leur école et de leurs amis. Luc, lui, a au moins eu la décence de déménager dans le même quartier. »

Je fulmine.

« Elles n'osent pas te le dire parce qu'elles t'aiment et qu'elles savent que tu traverses une période difficile. Je ne fais que te transmettre le message. Tu en as déjà perdu un, l'as-tu oublié ?

— Maman, Luc cherche juste à se venger sur le dos des enfants ! Pourquoi tu veux jamais rien comprendre ? »

Je jette un regard vers Aïcha. Une demande d'aide. Comme toujours, elle répond.

« Maman, tu sais très bien que Luc est un menteur chevronné. »

Fatima a cherché tout au long de cette conversation un appui auprès de ses filles et de son fils, mais je constate qu'ils ont baissé la tête, visiblement en désaccord avec leur mère.

J'ignore si je dois confronter sa mère ou tempérer. La rencontre se termine abruptement sans que j'aie le temps de choisir la réaction appropriée.

Mais qu'est-ce que Luc a pu raconter à Fatima sur mon compte ? Je ne vois pas !

—

Sur le chemin du retour, Naïma ne desserre pas les dents. Elle monte vite à l'appartement. Je n'ose l'approcher.

Elle bardasse en vidant le lave-vaisselle. Toujours aussi furieuse. Je l'observe, à l'écart, depuis plusieurs minutes. Il faut crever l'abcès.

« Je n'en suis pas à ma première famille et je peux te jurer que tes enfants sont bien ici. Elles m'adorent. »

Elle ne me répond pas.

« Es-tu fâchée contre moi ? Me suis-je mal comporté chez ta mère ? »

Elle se tourne vers moi. Ses yeux lancent des éclairs.

*« Non ! »*

Je décide d'aller plus loin, même si je n'ai pas envie de m'aventurer sur ce terrain.

« Penses-tu que mes capsules à la télé... »

Elle ne me laisse pas terminer.

*« Il n'est pas question que tu modifies quoi que ce soit. Tu dois penser à toi, à ta carrière et tes apparitions à la télé t'aideront à te remettre sur pied.*

— Tu as toujours prétendu que ta mère détestait Luc. Pourquoi donne-t-elle tant de crédibilité à ses propos ?

— *Elle le déteste. Sauf que pour elle, je suis la rebelle de la famille, la* flyée, la fuckée, *celle qui n'a aucun jugement. »*

Je n'ai pu l'approcher pendant les heures suivantes. Elle prétendait que sa vie n'était qu'un gâchis. Je lui ai répliqué qu'au contraire, sa vie s'était améliorée depuis sa séparation. Mais elle ne voulait rien entendre.

—

Nous avons bu quelques verres de vin. Naïma m'apparaît plus calme. Je ne veux pas m'immiscer dans son intimité ni raviver de douloureux souvenirs, mais j'aimerais bien comprendre... pour mieux aider, si je le peux.

*« Mes sœurs et mon frère m'ont téléphoné pour me réconforter. Tu connais notre mère, m'ont-ils dit, il faut en prendre et en laisser, elle t'aime, elle veut ton bien et celui des enfants, etc. Ils m'ont tous demandé où j'en étais dans ma transition. Même Aïcha ! »*

Je n'ose pas poser la question qui me brûle les lèvres : où en es-tu, effectivement ?

Je sais qu'il attend une réponse à cette question, mais je préfère lui révéler une partie de ce que fut ma vie avec ma mère. Lui faire voir la véritable nature de notre relation.

⌒

Un jour où je n'en pouvais plus, je l'ai suppliée de m'aider. Elle était veuve. Mon père nous avait quittés depuis déjà quelques années.

« Maman, je n'en peux plus. Je ne suis plus capable de supporter Luc.

— Ton père et moi ne l'avons jamais aimé. Nous avons toujours soupçonné qu'il t'avait épousée pour ta beauté en pensant que, en tant que musulmane, tu serais une femme soumise. Nous t'avons déconseillé ce mariage. Mais tu as voulu faire à ta tête. Maintenant, tu dois assumer. Tu as trois enfants, tu te dois de penser à eux. Ils ont besoin de leur père et de leur mère.

— Tu penses qu'il s'agit d'une bonne ambiance pour éduquer mes enfants dans le bonheur ?

— Concentre-toi à créer cette harmonie dont ils ont besoin.

— Maman, ne comprends-tu pas ? Tu ne sais pas combien de temps j'ai mis à venir te demander ton aide. J'étouffe. Je n'en peux plus. J'ai tellement peur de perdre mes enfants. J'ai besoin de toi pour m'aider à sortir de là. Ça fait des années que ça ne fonctionne plus.

— Si tu ne t'étais pas éloignée de notre religion et de notre culture en fuyant avec ce Luc et en l'épousant... »

Elle ne bronchait pas. J'étais incapable de tolérer sa rigidité. Je me suis emportée, j'ai sorti mes tripes.

« Je ne voulais qu'échapper à ton contrôle. Où as-tu caché ta compassion et ton amour, maman ? »

Je n'ai jamais compris cette attitude parentale. Je la vois devant moi, cette Fatima, et je ne la comprends pas. Elle me brûle. Naïma est maintenant près de pleurer. Comment une mère peut-elle rester insensible à un tel cri de désespoir ? Au nom d'une religion d'amour ? Comment peut-on privilégier des principes au détriment du bonheur de sa fille ?

« *Luc a été parfait au début. Beau parleur, amoureux, il voulait me donner la lune. Mais ça n'a pas duré. Quand je me suis réveillée, j'avais déjà deux enfants et aucun travail.* »

*Je ne parvenais pas à faire fléchir ma mère.*

« *Maman, je suis en train de te dire que je suis au bord du précipice. Je ne dors plus, j'ai perdu sept kilos et j'ai besoin d'aide pour m'en sortir.* »

*Je ne réussissais qu'à l'agacer.*

« *Je vais devoir partir si je ne veux pas être prise dans l'heure de pointe.* »

*Je n'en revenais pas.*

« *Pourquoi tu n'es jamais là pour moi ? Pourquoi tu es toujours là pour Selim, Aïcha, Salima, ton bébé, même quand ils n'en ont pas besoin ? On dirait que tu m'as enterrée avec papa. Qu'est-ce que j'ai bien pu faire pour que tu m'ignores comme ça ? Finalement, Luc a peut-être raison. Je dois être nulle à chier.*

*— Avec toi, tout a toujours été difficile. Tu es tellement différente, entêtée...* »

*J'étais à bout.*

« *Je ne suis pas comme toi, je ne pense pas comme toi, je ne suis pas ingénieure comme toi, mais je suis ta fille. J'aurais tellement aimé me sentir aimée comme mon frère et mes sœurs.* »

*Elle est partie sans même me regarder.*

J'essaye de prendre Naïma dans mes bras. La douleur est trop grande : elle s'enfuit dans la chambre. Une vieille blessure ravivée. Je la rejoins. Elle s'est écrasée sur le lit et pleure. Je m'approche doucement.

« Elle se sent peut-être coupable de ne pas avoir réussi à te guider pour que tu sois heureuse et elle s'est forgée une carapace au nom de sa religion.

*— Et je fais pareil avec Philippe, c'est ça ?* »

Je lui caresse les cheveux.

« *Je ne sais pas ce que tu fais avec moi. Tu mérites pas mal mieux.* »

Je l'embrasse.

« C'est simple. Je t'aime !

— *La vie m'a envoyé un ange.* »

Je ris.

« Il n'y a pas si longtemps, j'étais un désastre. Me voici un ange. Je progresse ! »

J'ai réussi à lui arracher un sourire. Nous restons l'un contre l'autre, en silence, pendant une éternité.

—

*Vendredi soir. Les enfants sont de retour. Toujours pas de nouvelles de Philippe qui, paraît-il, refuse même de me parler au téléphone. Est-ce bien lui qui ne veut pas ou Luc qui l'emprisonne ? Est-ce que je deviendrais parano ? Non, je le suis déjà, ma mère me le répète depuis toujours.*

*Lorsque j'appelle pour parler à mon fils, j'entends son père hurler une excuse pour l'obliger à raccrocher. À force de sentir ces malaises, j'hésite maintenant à téléphoner de peur de nuire à mon fils.*

*Laurence et Alexia sont assises devant nous. Je brûle d'éclaircir certains points.*

« *Êtes-vous heureuses ici ?* »

*Laurence répond la première.*

« *Si on n'était pas bien ici, on ne reviendrait pas.*

— *Moi, je m'ennuie de mon frère. C'était bien mieux avant, quand on n'avait rien qu'une maison.* »

Pour ma part, je veux être bien certain qu'elles comprennent que je ne m'oppose pas à la venue de Philippe. Je m'adresse spécifiquement à la petite Alexia, convaincu que Laurence comprend très bien la situation.

« Nous l'avons invité plusieurs fois. Mais on ne peut pas le forcer. »

Laurence nous sidère tout à coup avec son ton agressif dirigé contre sa mère.

« *Tu nous forces bien, nous autres. Chez mon père, on a une piscine, un chien, on fait ce qu'on veut, on joue avec notre frère...* »

*Je suis catastrophée. Elle soutient mon regard puis éclate de rire.*

« *C'est une joke !*

— *Des fois, je me demande si vous ne dites pas des choses ici pour ne pas me faire de peine et d'autres chez votre père pour lui faire plaisir.* »

*Laurence nie sans trop de conviction alors qu'Alexia baisse la tête. J'ai compris. Je m'approche d'elle et la serre dans mes bras.*

« *Préféreriez-vous demeurer juste chez votre père ?* »

*J'attends la réponse qui tue. C'est Alexia qui réplique avec un cri du cœur.*

« *Ben non. Je m'ennuierais bien trop de toi !* »

*Ouf !*

*Je crois le moment propice pour leur annoncer ma décision. Je veux connaître leur réaction ainsi que celle de Michel.*

« *Je me suis inscrite à l'université en psychologie. Je dois me refaire une vie et surtout pouvoir vous envoyer dans les meilleures écoles. Je ne gagne pas autant que votre père, moi !*

— *Ce sera difficile pour Naïma et pour nous tous, mais je serai là et on s'aidera.* »

*Alexia s'insurge à la pensée de moins voir sa maman.*

« *Tu es riche, toi, pourquoi tu ne lui donnes pas de l'argent ?* »

*Naïma et moi, nous nous consultons du regard.*

« *Michel n'est pas riche. De plus, il s'agit de son argent et pas du mien. Je vous le répète, nous ne sommes qu'en transition ici.* »

*Voilà une remarque qui me ramène sur terre. Devrais-je lui proposer de déménager à Chomedey pour leur faciliter la vie ?*

Combien de temps durera l'incertitude de ses sentiments à mon égard ? Jusqu'où dois-je aller ?

Mes enfants, ma famille et mes amis accueillent toujours Naïma et ses filles de façon très amicale, mais sans réellement s'investir. Ils attendent. Comme moi.

—

L'été est arrivé. Je m'ennuie de mes filles et de mon petit Frédéric. La vie ne me laisse pas beaucoup de temps pour eux. Mais je réalise que je partage la philosophie de mes parents. Ils ne voulaient pas s'immiscer dans nos vies de famille même s'ils ne vivaient que pour nous, malgré nos silences prolongés. Nous qui vaquions à nos occupations, que nous jugions si importantes... J'espère que mes enfants le comprennent.

—

*Elles sont revenues perturbées de chez Luc, comme toutes les semaines. Les vacances d'été n'ont rien changé à la garde des enfants. Une semaine chez leur père, une semaine avec moi. Alexia déteste la ville. Elle ne s'adapte pas. Laurence reste enfermée à la maison, craintive de ce nouvel environnement. Michel les emmène au cinéma, au restaurant, les divertit de son mieux. Et Philippe qui ne veut toujours rien savoir ! Et moi, angoissée comme toujours, qu'est-ce que je ressens vraiment pour Michel ? Je ne peux, en toute honnêteté, lui imposer indéfiniment une transition qui n'en finit plus de s'étirer. Il tente, en vain, de dissimuler des attentes de plus en plus pressantes auxquelles je ne peux pleinement répondre, et je culpabilise. Il est tellement gentil et serviable pour nous trois. Et ce kyste qui n'arrête pas de grossir ! Et les résultats de cette biopsie qui se font attendre. Ai-je développé un cancer ? Pourquoi cela m'arrive-t-il ? Pourquoi la vie ne me donne-t-elle pas un break ? Je sais, il y a Michel...*

—

Je sens l'angoisse qui tenaille Naïma. Son kyste, ses filles perturbées, Philippe qui résiste à ses appels et à ses petits mots, son ambivalence à mon endroit, son indécision, la perspective de retourner aux études, les conflits avec sa mère, les ventes de ses œuvres en verre soufflé qui ne suffisent pas...

Je ne peux rien lui reprocher dans ce contexte. Je suis patient. J'attendrai le temps qu'il faudra. Je l'aime et je lui apporterai tout le soutien dont je suis capable.

—

Mon oncle Émile se meurt. J'ai reçu un appel tout à fait inattendu. On le transportait d'urgence à l'hôpital. Sa vie, déjà largement hypothéquée, ne tient plus qu'à un fil. Naïma m'accompagne. Nous roulons à bonne vitesse, en silence. J'absorbe le choc.

Nous marchons rapidement dans le corridor de l'hôpital. Le médecin ne m'a laissé aucun espoir. Émile est dans le coma. Une question d'heures, tout au plus. Nous nous arrêtons devant la porte de sa chambre. Une grande respiration. Nous entrons.

Il est intubé, inconscient. Il respire fort mal, le visage décomposé. Touché par sa fin imminente, je m'approche doucement. Naïma demeure à l'écart. Je le détaille longuement. La mort rôde. Elle est palpable.

« Salut Émile... Je ne sais pas si vous pouvez m'entendre, mais je veux que vous sachiez que je vous aimais, même si vous n'étiez pas toujours facile, emmuré dans votre solitude. Je me souviens des *lifts* que vous me donniez pour m'amener au collège ou de l'argent que vous me prêtiez dans des périodes difficiles. De l'aide que vous avez toujours apportée à mes parents. »

Je suis plus ému que je ne l'aurais cru.

« Je vous souhaite un bon voyage... »

Je lui prends la main. Elle est déjà froide. Naïma, sentant mon émotion, s'avance vers moi et, dans un geste de soutien, elle passe sa main dans mon dos.

—

Nous sommes dans une petite salle d'attente. Naïma est inquiète.

« *Pourquoi lui as-tu téléphoné ? Qu'est-ce que ça va changer qu'elle vienne ?*

— France aimait bien mon oncle. »

Je souris faiblement devant son appréhension.

« Ça t'inquiète de la rencontrer ? »

Une légère hésitation.

« *Non !* »

*Je vois France arriver au bout du corridor. Michel m'avait déjà montré des photos d'elle, mais je m'attendais quand même à une sorte d'excentrique névrosée. À ma grande surprise, c'est une femme dans la quarantaine, vive, dynamique et compatissante. À première vue, du moins. Je demeure sur mes gardes.*

*Elle embrasse Michel.*

« *Je suis venue aussi vite que j'ai pu.* »

*Michel s'empresse de me présenter et nous nous dirigeons ensemble vers la chambre.*

*La présence de la mort n'est jamais rassurante. Les appareils qui maintenaient Émile en vie se sont tus. Nous sommes tous les trois au pied du lit. France lève les yeux vers le plafond. Elle sourit.*

« *Il est encore ici... Il vole au-dessus de la chambre... Il se demande ce qui se passe. Il croit rêver. C'est très fréquent lorsque les gens n'ont pas été préparés.* »

*Je suis éminemment sceptique. Elle s'adresse maintenant directement à Émile.*

« *Non, Émile, tu ne rêves pas... C'est ça, la mort... Il y a déjà des gens qui t'attendent de l'autre côté... Je vois déjà ton père et ta mère... Alphonse et Sophranie...* »

*Elle s'arrête et regarde Michel comme si Émile, de l'autre côté, lui avait répondu. Elle revient à Émile. Michel semble parfaitement à l'aise. Depuis mon abandon de la religion, je suis convaincue qu'il n'existe plus rien une fois franchie la porte de la mort. Je voudrais bien espérer, mais tout mon être s'insurge à cette pensée.*

*« Tu n'as pas besoin de t'inquiéter pour ton neveu, ses affaires vont reprendre bientôt... Tu peux partir là où on t'appelle... »*

*Je crois qu'elle aurait besoin de consulter un psychiatre. Comment Michel, un être sensible et rationnel, peut-il prêter foi à cette démonstration d'irrationalité ?*

*Au terme d'un moment de silence, France se tourne vers Michel.*

*« As-tu vu la boule de lumière passer par la fenêtre ? Il vient de partir, rassuré. C'était un bon monsieur. »*

*Moi, je n'ai pas vu de boule de lumière. Heureusement, Michel non plus. Sentant mon scepticisme, France s'adresse à moi.*

*« Qu'est-ce que tu as au sein gauche ? »*

*Surprise, je jette un regard à Michel, qui hausse les épaules, l'air de dire qu'il ne lui en a pas parlé.*

*« Un kyste. Pourquoi ? »*

*Elle s'approche et fait des mouvements bizarres avec ses mains à la hauteur de ma poitrine. Je suis très mal à l'aise. Le tout ne dure que quelques secondes.*

*« Tu as vu ton médecin la semaine dernière ? »*

*Je me tourne de nouveau vers Michel qui, d'un geste, nie encore une fois lui avoir parlé de quoi que ce soit.*

*« Qu'est-ce qu'il t'a dit ?*

*— Il m'a fait une biopsie.*

*— C'est bien. Mais ce n'est pas malin. Demain soir à sept heures, ton kyste aura disparu. »*

Il m'arrive souvent d'aller à la boutique de Naïma pour l'observer travailler le verre. J'admire sa dextérité, sa créativité, sa passion. Sa fascination pour les coloris vifs, gais, lumineux.

« C'est vraiment beau, ce que tu crées. Si j'avais plus d'argent, j'achèterais toute ta production pour en décorer toute la maison. »

Elle est encore obsédée, je dirais même irritée par sa rencontre avec France.

« *Tu lui en avais parlé !*

— Absolument pas. Je t'ai dit qu'elle possédait des dons particuliers.

— *Vous êtes pas mal trop* flyés *pour moi !* »

Je la taquine.

« Tu ne m'as pas déjà dit que tu voulais vivre avec quelqu'un qui te ferait découvrir d'autres univers ? »

Je ne peux qu'éclater de rire devant son air découragé.

—

Je profite des circonstances pour faire L'ÉLOGE DES GUÉRISSEURS. Pour ne pas trop heurter, j'utilise un ton badin, amusé et amusant, j'espère. Je suis convaincu que Naïma me regarde puisque je lui ai fait part de mes intentions. Elle a bien tenté de m'en dissuader… sans succès.

—

### L'ÉLOGE DES GUÉRISSEURS

« ÇA FAIT PLUS DE VINGT ANS QUE JE SUIS BRANCHÉ EN DIRECT SUR LE PIPELINE… D'UNE GUÉRISSEUSE. VOUS SAVEZ, CES GENS QUI ONT UN DON ET QUI GUÉRISSENT JUSTE AVEC LEURS MAINS SANS MÊME VOUS TOUCHER ! VOUS ÊTES CRAMPÉS ? MOI AUSSI ! »

J'éclate de rire.

*Pourquoi tient-il tant à faire un fou de lui en public ? Qu'il m'en parle et qu'il y croie, je veux bien, mais devant des centaines de milliers de téléspectateurs ? Je ne comprends pas.*

« J'AI ÉTÉ GUÉRI ET TÉMOIN DE PLUSIEURS GUÉRISONS. HASARD, COÏNCIDENCE, CHARLATANISME ? POURTANT, IL S'AGIT D'UNE GUÉRISSEUSE QUI A FAIT DES ÉTUDES EN PHYSIQUE NUCLÉAIRE, QUI NE FACTURE PAS UN SOU ET QUI A DÛ S'EXPATRIER POUR POUVOIR TRAVAILLER AVEC DES MÉDECINS ET CONTRIBUER À GUÉRIR DES MALADES PARCE QU'ELLE EST ILLÉGALE ICI… ELLE CONTRIBUE À DÉSENGORGER LES URGENCES LÀ-BAS. »

Je souris. Je sais que Bianca, ma recherchiste, et Louise, ma réalisatrice, jouissent de cette prestation, convaincues qu'il est plus que temps de démystifier ce sujet.

*Je suis sûre que ma mère est à l'écoute. J'ose espérer que ce n'est pas le cas de Luc. Pourquoi Michel ne tient-il pas compte de ma situation familiale ? De mes enfants ?*

« Et elle n'est pas la seule dans ce cas-là... Ici, au Québec, et ailleurs dans le monde. Êtes-vous toujours aussi crampés ? De ma naïveté ? Moi aussi, mais de votre ignorance ! Rions en chœur... Mais si c'était vrai ? Qui aurait l'air le plus con ? À vous de décider ! »

—

À ma sortie, la station était submergée d'appels téléphoniques et de courriels de gens en détresse qui exigeaient d'avoir les coordonnées de la guérisseuse, quitte à aller la rencontrer à l'étranger. Pourvu qu'ils n'aillent pas se mettre entre les pattes des charlatans. Ils pullulent. Il est tellement difficile de distinguer le vrai du faux en ce domaine.

L'AVEU

# 6

Bouteille de champagne à la main, je marche vers la boutique de Naïma. Je m'arrête devant sa vitrine. Il pleut, mais à l'abri sous mon parapluie, je l'épie, heureux. Elle est affairée à servir un client qui a l'œil sur une de ses œuvres, à mon avis une de ses plus belles pièces. Sur mon cellulaire, je compose son numéro. Je la vois courir vers son appareil. Elle répond. Elle se tourne vers la fenêtre et m'aperçoit. Un large sourire éclaire son visage.

Dix minutes plus tard, je valse avec elle dans la boutique. Le client est parti après lui avoir acheté son vase. Elle est folle de joie.

« Moi aussi, j'ai une excellente nouvelle. Je te l'avais dit que ça viendrait. »

*Je suis méfiante.*

« *C'est quoi ?*

— Un gros contrat pour l'automne prochain.

— *Ta série sur les guérisseurs ?*

— Non, malheureusement. Il s'agit d'un projet extérieur. Une série de divertissement. Une fiction, bien sûr. Sur l'univers de la chanson québécoise. Les Vigneault, Léveillée, Ferland, Charlebois, Reno, Rivard, etc. Je vais y ajouter des noms d'autres grands comme Lynda Thalie, évidemment, et plusieurs autres. »

Je sais que ça peut sembler « arrangé avec le gars des vues » que cette proposition arrive comme ça *in extremis*, mais c'est l'histoire de ma vie. Cela s'est toujours passé de cette façon quand j'en avais vraiment besoin.

« J'ai juste à me trouver encore un peu d'argent pour faire le pont, mais au moins, je n'aurai pas à faire faillite comme je commençais à le craindre. Je te l'avais dit, non ? »

*Je suis heureuse pour lui.*

« *Toi, tu vas me faire mourir avec tes histoires d'argent.*

— On ouvre la bouteille ?

— *Je ne peux pas. Je suis seule à la boutique.* »

Je regarde tout autour, je repère la pancarte FERMÉ que j'accroche à la porte malgré ses protestations.

« *Non, Michel !* »

*Il ne m'écoute pas. Il revient vers moi, guilleret.*

« Nous allons fêter ça ici. »

*Un client se pointe à la porte. Il nous voit. Je suis indécise. Pas Michel. Il lui fait signe que c'est fermé et il m'entraîne aussitôt dans l'arrière-boutique. Nous nous embrassons. Je me détends.*

« *Tu sais, je suis encore un peu mêlée, mais je pense que je t'aime…* »

Je m'arrête. La phrase que j'espérais depuis des mois. Je pousse un cri à ébranler les murs.

*Cet aveu a jailli spontanément. Aucune préméditation. Je jonglais avec ce sentiment depuis un certain temps, mais aujourd'hui il m'a prise de court.*

« C'est la première fois que tu m'avoues que tu m'aimes. Je suis en train de gagner mon pari, non ?

— *Peut-être bien, mais je me sens coupable. Je pourrais t'aider à faire le pont avec l'argent de la vente de la maison, mais je n'en suis pas encore capable.*

— Je m'en fous de ton argent. C'est ton corps que je veux !

— *Avec des seins qui commencent à pointer vers le sol, des vergetures qui sont en train de se faire une niche, une vilaine cicatrice de césarienne, un kyste en plus ? »*

*Je le taquine.*

« *C'est vrai qu'à ton âge, c'est peut-être tout ce que tu peux te payer.* »

Ce qu'elle peut être conne quand elle le veut. Je la trouve belle.

« Tu es magnifique. »

Je feins d'être songeur.

« Si je recommence à avoir de l'argent, peut-être que je pourrais rappeler ma belle étudiante escorte, Alexandra ! »

Devant son regard de feu, j'éclate de rire. Elle aussi. Nous nous embrassons et commençons à nous dévêtir dans un état d'euphorie inégalé à ce jour. Je la caresse et m'arrête subitement. J'avais oublié. Je lui montre son sein gauche.

*Je regarde. Je m'ausculte. Il a effectivement fondu... vingt-quatre heures plus tard. Quel hasard ! Je ne vois aucune autre explication contrairement à Michel, qui rigole, fier de l'efficacité de sa France. Je suis interloquée. Drôle, vraiment drôle de coïncidence !*

J'ai vécu ce genre de situation à maintes reprises en présence de France. Les réactions diverses des personnes impliquées dans ces événements m'ont toujours amusé et parfois déconcerté. Certaines refusent de faire le lien, d'autres attribuent leur « guérison » à nombre de facteurs extérieurs et certains demeurent sous le choc, comme si une lumière venait de s'allumer. Je ne suis pas en mesure d'interpréter la réaction de Naïma et je décide de ne pas insister, surtout après la révélation de son amour pour moi. Wow !

—

*J'ai donné rendez-vous à Bianca dans un petit café près de son bureau. Un endroit tranquille à une heure où nous serions à* l'abri des oreilles indiscrètes. J'avais besoin de parler à quelqu'un d'autre que Michel. Je crois qu'elle est la bonne personne dans les circonstances.

« J'ai reçu le résultat de ma biopsie ce matin. Le kyste n'était pas malin.

— Comme elle te l'avait dit !

— Je ne peux pas raconter ça à qui que ce soit. Je passerais pour une folle.

— Je connais une orthésiste qui est allée voir un guérisseur à Sherbrooke même si elle n'y croyait pas. En désespoir de cause. Elle avait passé tous les tests imaginables et la seule solution envisagée par les médecins restait une opération dans la colonne. Elle trouvait ça beaucoup trop risqué. Elle est entrée chez le guérisseur avec ses derniers tests de résonance magnétique en main. Sans les consulter, il a posé le même diagnostic. Il l'a traitée gratuitement en cinq minutes en l'effleurant à peine et puis tout a disparu. Il affirme avoir hérité ce don de son père sur son lit de mort. Ça existe.

— Il y a sûrement une autre explication.

— Prends-le autrement. Partout dans le monde, il existe des personnes qu'on surnomme des génies. En fait, ils possèdent des dons en mathématiques, en musique, en sciences... Des dons, dès leur plus jeune âge, qu'on ne s'explique pas. En guérison, c'est la même chose, sauf qu'en Occident, ils sont illégaux, la plupart du temps. Contrairement aux autres types de dons que les détenteurs peuvent exploiter pour gagner leur vie, les guérisseurs, eux, sont condamnés à la gratuité pour tenter d'éviter les foudres de la loi.

— Vous êtes trop flyés pour moi. Des fois, je me demande même si nous sommes faits pour aller ensemble, Michel et moi. »

Je sors de cette rencontre fort insatisfaite, en proie à un tumulte de questions. Suis-je si obtuse ? Si ces gens existaient vraiment, ça se saurait, ils deviendraient des héros, des gens qu'on s'arracherait. Non ?

—

Nous sommes dans le bain. Naïma est adossée contre moi. Je l'enlace. Elle est songeuse. Est-ce encore la guérison de son kyste qui la perturbe? Je sens mon petit clone qui veut s'immiscer entre nous.

« N'insiste pas. Elle n'est pas prête.

— C'est quand même pas moi qui ai fait fondre son kyste.

— Laisse lui du temps. Si tu la bouscules trop...

— Elle a quand même fini par m'avouer qu'elle m'aime, non?

— Tu devrais savoir qu'il n'y a jamais rien d'acquis en ce domaine.

— Ok! Ok! Ok! »

*Je savais que cette histoire de guérisseurs m'entraînerait dans la merde. Pourquoi refuse-t-il de m'écouter? Pourquoi s'obstine-t-il à provoquer? Pense-t-il à moi là-dedans? À mes enfants? À ma mère? À mon ex?*

*Viens, mon petit clone. Qu'as-tu encore à me dire?*

*« Tu ne changeras pas Michel. Tu as essayé pendant quinze ans de changer Luc sans réussir. Et tu vois dans quel enfer cela t'a menée?*

*— Je sais que je ne devrais même pas essayer avec Michel, mais qu'est-ce que je peux faire s'il persiste?*

*— Apprendre à accepter ce qu'il est.*

*— Pourquoi la vie m'entraîne-t-elle toujours dans des situations impossibles?*

*— Explique-lui tout simplement les conséquences de son attitude. »*

*Je réfléchis. J'ai besoin de réfléchir.*

—

La vie nous conduit parfois malgré nous sur des sentiers que nous voulons éviter. Étrange. Dans l'espoir que Naïma puisse mieux comprendre et accepter mes croyances sur le phénomène des guérisseurs, j'ai pris l'initiative d'inviter France à manger à la maison. Pourquoi a-t-elle accepté? Elle qui n'a jamais pu répondre à des dizaines d'invitations du genre au fil des années, de plus en plus souvent œuvrant à ouvrir des dispensaires pour les plus démunis en Amérique du Sud avec l'aide de médecins locaux!

Au préalable, j'ai dû expliquer aux filles très sommairement la nature du travail de notre invitée. Naïma, dans un véritable effort d'ouverture, leur a raconté la disparition de son kyste. Les filles sont littéralement fascinées et ne cessent de poser des questions. D'autant plus que France n'a pas l'air d'une excentrique illuminée. Très accessible. Bon sens de l'humour. Laurence dirige l'interrogatoire.

« Mais comment tu fais ça?

— Mon œil droit a subi une petite mutation quand j'étais petite, quand j'avais l'âge d'Alexia. Ce qui fait que je peux voir une partie de l'invisible, c'est-à-dire certaines fréquences que l'œil humain normal ne peut déceler. Je vois l'énergie qui émane de ton corps, on appelle ça l'aura, et les êtres invisibles qui t'entourent.

— Eh, tu me niaises! Ça n'existe pas, ça!

— Je vois ton grand-père qui est juste derrière toi.

— Il est mort. »

*Là, je me sens de plus en plus mal à l'aise devant la tournure de la conversation. Je jette un coup d'œil à Michel, qui sourit doucement. Je reviens à France, qui se met à chanter une chanson qui m'est totalement inconnue et qui semble s'adresser à Laurence, une sorte de berceuse. Laurence blanchit, me regarde, se tourne à nouveau vers notre invitée. Je ne comprends rien. Je suis de plus en plus inquiète devant la réaction de ma fille.*

*« Qu'est-ce qui se passe? C'est quoi, cette chanson? »*

*Laurence est apeurée, comme si elle avait vu un fantôme.*

*« C'est la chanson que grand-papa avait composée pour moi quand il me berçait pour m'endormir.*

*— Il me demande de te dire qu'il veille sur toi et continue à te protéger. »*

*Sauf Michel, nous sommes toutes figées comme si l'air de la pièce était devenu glacial.*

Voulant détendre l'atmosphère, je raconte un événement inusité vécu il y a une vingtaine d'années avec France.

« Je me souviens. Au début, nous nous connaissions très peu, France et moi. Élizabeth, la mère de mes enfants, lui parlait au téléphone. À l'autre bout du fil, France lui décrivait tous les mouvements que j'exécutais dans la salle de bains. Nous étions stupéfiés. »

Je sens Naïma bouillir et je décide qu'il vaut mieux orienter la conversation sur l'ouverture des dispensaires et, subtilement, dériver vers des sujets plus anodins, ce qui leur permet de découvrir le côté drôle de mon invitée, son côté très terre à terre.

—

Pourquoi est-elle si heurtée ? Parce qu'elle refuse de s'ouvrir ? Parce que ses enfants ont été contaminées ? Parce que les filles ont été fascinées (lire endoctrinées) et qu'elles iront tout raconter à leur père et à leurs grands-parents malgré l'avertissement de secret ? Parce que c'est moi qui dérape complètement au point où elle ne voudrait plus vivre avec moi ?

Les filles sont couchées. France est partie. Nous sommes face à face comme pour un affrontement ultime. Je la sens prête à éclater.

« Je ne te demande pas de croire ou d'adhérer. Je te demande juste d'accepter que ça fait partie de ma vie depuis plus de vingt ans.

— *Si ce qui vient de se produire est vrai, cela signifierait que la vie après la mort existe ?*

— Euh... oui.

— *Et tu crois à la réincarnation, tant qu'à y être ?*

— Disons que je suis ouvert et que ça répondrait à des questions que tout le monde se pose sur l'injustice des lieux de naissance, entre autres. Pourquoi certains naissent-ils dans des pays riches et d'autres dans des endroits si démunis qu'ils n'auront jamais aucune chance de s'en sortir ? Pourquoi certains naissent-ils malades et infirmes et d'autres en bonne santé ? Ça s'appelle le karma. Il peut être positif ou négatif. »

*Je me lève et je me dirige rapidement vers le vestibule. Michel me talonne.*

« Qu'est-ce que tu fais ?

— *Je m'excuse ! J'ai déménagé trop vite ici. Je vais me louer un petit appartement.* »

Elle refuse même de s'arrêter.

« Où vas-tu comme ça ?

— *Prendre de l'air !* »

Elle claque la porte. Laurence, que je croyais endormie, est derrière moi. Devant mon air désemparé, elle m'encourage.

« Ne t'inquiète pas. Je vais lui parler. On veut pas déménager, nous autres ! »

—

Pourquoi est-ce si difficile d'accepter l'autre tel qu'il est ? Il y a déjà quelques heures qu'elle est partie. Elle ne répond pas à son cellulaire. Je suis incapable de dormir. J'ai étranglé mon clone cette nuit pour être certain d'avoir la paix.

Je l'entends enfin revenir. Il est trois heures du matin. Je ne bouge pas dans mon lit. Tout à coup, plus rien. Je me lève et, tentant d'éviter le craquement du plancher, je me dirige vers le salon. Elle est couchée, recroquevillée dans le sofa.

« Pourquoi ne viens-tu pas te coucher confortablement ?

— *Je réfléchis...*

— Tu peux tout aussi bien réfléchir dans un bon lit. »

Aucune réponse. Long silence. Toujours pas de signe de conciliation. Je me retire alors. Ce sera une longue nuit sur la corde à linge. Une nuit peuplée d'ondes négatives. Je décide de prier. Ça m'arrive à l'occasion. J'ignore s'il y a quelqu'un à l'écoute de l'autre côté. J'ose espérer que je suis entendu. Je remercie mon corps de me garder en santé et la vie de m'avoir toujours si bien protégé. J'en profite pour demander de l'aide pour Naïma. Je ne veux pas la perdre. Mais ça, tout le monde le sait déjà.

Quel foutu *fucké* je suis parfois!

« Je t'écoute, moi.

— Il me semblait que je t'avais étranglé!

— Je me suis ressuscité.

— Oᴋ d'abord! Tiens-moi compagnie pour la nuit. Je m'en contenterai. Mais si tu pouvais discuter avec le clone de Naïma, tu nous rendrais service à tous les deux, non?

— Je n'ai pas ce pouvoir.

— *Too bad!*»

Je sens que nous allons niaiser comme ça une bonne partie de la nuit. Ça m'aide à me déstresser.

*J'ai rejoint Michel au lit à l'aube et je me suis lovée contre son flanc. Et j'ai pu alors m'endormir. J'ai retrouvé le sourire en me levant. Tout le monde était heureux de me voir de meilleure humeur au petit déjeuner.*

—

*À l'atelier, je repense à tous ces événements en créant une pièce non figurative émaillée de jaune, de rouge, d'orangé et de bleu. Une série de couleurs vives. Je suis assaillie de réflexions. Je veux me laisser le temps d'absorber la cascade d'événements qui m'ont chamboulée dans les derniers mois. Ai-je tout ce qu'il faut en moi pour aspirer à une vie heureuse? Ne suis-je pas trop anxieuse, angoissée, torturée? Michel prétend que j'ai tous les atouts en main pour y parvenir. Je voudrais tellement qu'il ait raison.*

*Et s'il y avait une autre vie après la mort? Peut-être que mon père, avec une meilleure compréhension de notre monde, pourrait être en mesure de m'aider avec mes enfants. Avec Michel, j'irai me recueillir sur sa tombe au cimetière pour lui faire part de mes espoirs. Qu'ai-je à perdre?*

—

*À chaque retour à la maison des enfants, après une semaine chez leur père, je les interroge, poussée par une impulsion incontrôlable. Sont-ils heureux? Philippe se porte-t-il bien? Pourquoi ne me rappelle-t-il pas? Pourquoi ne répond-il jamais à mes lettres? Malheureusement, je n'ai droit qu'à des réponses évasives. Je soupçonne Luc de leur avoir interdit de m'en parler. Pour ne pas traumatiser Philippe. Quelle connerie! Mon ex a déjà une autre blonde. Pourquoi s'acharne-t-il encore à vouloir se venger de notre rupture? Sur le dos des enfants en plus? Pourquoi leur demande-t-il de mentir? Qu'a-t-il à gagner? Comment ai-je pu aimer un homme semblable? Est-il possible d'être aveugle à ce point? Comment trouver la sérénité sans avoir de réponses à toute cette panoplie de questions?*

—

*Chez son père, ma petite belette n'a pu s'empêcher de s'ouvrir la trappe encore une fois. Ce que je redoutais s'est produit. Je le savais donc.*

« *Ma mère m'a appelée pour me demander si je faisais partie d'une secte.* »

J'éclate de rire. Mauvaise réaction.

« *Luc lui a téléphoné. Apparemment, Alexia lui a raconté la visite de France. J'ai déjà perdu Phil, je ne perdrai pas les autres.* »

Je la prends par les épaules.

« Arrête de dramatiser. »

Autre mauvaise réponse.

« *Tu ne sais pas de quoi mon ex est capable.* »

Comment atténuer ses craintes? Il est vrai que je ne le connais pas et qu'il s'est déjà avéré un expert dans l'art de manipuler les enfants contre leur mère. Heureusement que Laurence commence à voir clair dans son jeu et qu'elle nous rapporte certains propos entendus dans son autre maison. Peut-être que...

« Les parents de Luc ne peuvent pas le raisonner? Si tu allais les voir... »

Mauvaise réponse encore une fois.

« *Pour eux, Luc est parfait. Ils sont de la même race.* »

*Je me replonge dans cette scène pathétique où, il n'y a pas si longtemps, j'étais allée les voir pour leur demander de l'aide. Je transporte Michel là-bas, à ce moment précis.*

—

*J'ai sonné à leur porte. Alexia m'accompagnait. Ils habitaient un bungalow. Nous étions en plein hiver. René, le père de Luc, m'a ouvert la porte. Faute d'invitation, j'ai dû rester dans le vestibule. Lucille, sa femme, une toute petite bonne femme toute en nerfs, au visage dur et autoritaire, est demeurée en retrait au pied de l'escalier. J'étais extrêmement mal à l'aise. Mes beaux-parents étaient mes seuls recours.*

« *Luc et moi, ça ne va pas du tout... Je ne réussis plus à lui parler... Il évite tout contact. Il se sauve avec les enfants en me laissant seule. Nous avons un paquet de décisions à prendre... J'ai pensé que vous pourriez nous aider.* »

*René me semblait plus ouvert. C'est à lui que je m'étais adressée.*

« *Luc a l'air tellement démoli. Qu'est-ce qu'on peut faire ?*

— *Pourriez vous nous servir d'arbitre ? Peut-être qu'on pourrait alors se dire quelques phrases sans déraper.* »

*La réponse est venue de l'intérieur de la maison, tel un coup de fouet.*

« *Jamais !* »

*René s'est aussitôt rangé de son côté.*

« *Nous n'allons pas nous mêler de ça !* »

*La mère s'est alors avancée vers moi, le doigt accusateur.*

« *J'ignore ce que tu as fait à mon gars, mais c'est à toi de régler tes problèmes... Toi, tu le sais ce que tu as fait.*

— *Qu'est-ce que j'ai fait ?* »

*René a surenchéri.*

« *Niaise-nous pas et prends-nous pas pour des imbéciles !* »

*Michel m'interrompt.*

« Qu'est-ce que tu avais fait ?

— *Luc les avait convaincus que j'avais eu des liaisons, dont une avec mon beau-frère parce qu'on s'envoyait des courriels et qu'on lunchait ensemble de temps à autre. Luc détestait ces rencontres et s'était mis en tête que j'étais infidèle.*

— C'était vrai ?

— *Jamais ça ne m'était passé par la tête. Je lui ai toujours été hyper fidèle. Luc a décidé qu'on ne participerait plus aux fêtes de famille si mon beau-frère y était. Il a été exclu de la famille à partir de ce moment-là. Ce fut l'horreur. »*

*Les parents de Luc m'ont alors abreuvée d'injures plus ou moins racistes. Ils n'avaient jamais été d'accord pour que Luc épouse une Arabe musulmane. Il en récoltait les fruits aujourd'hui. Tous des extrémistes qui ne pensent qu'à imposer leur religion. Par chance, ils avaient été là pour veiller à ce que les enfants soient élevés dans la religion catholique. Tout ce qu'ils pouvaient trouver pour me salir devant Alexia, ils l'ont vomi. J'ai refusé de répondre à leurs accusations.*

*J'avais les larmes aux yeux. Alexia était terrorisée par la violence de la scène et par le sort que ses grands-parents me réservaient. De véritables animaux qui protégeaient sans discernement leur progéniture pour éviter de se remettre en question. La colère m'a envahie. J'ai explosé.*

« *Depuis deux mois, je couche sur un petit matelas dans la cave, à côté de la fournaise 1910 qui mène un train d'enfer. Luc a déprogrammé les calorifères et il faut que je me couvre avec cinq manteaux. Il monte les enfants contre moi, il ne vient jamais souper. J'aimerais ça savoir ce que j'ai fait pour mériter ça ! »*

*Ils sont demeurés insensibles à ma situation. René fut le premier à en remettre.*

« *Baisse le ton et arrête de mentir.*

— *C'est tout ce qu'une femme adultère mérite. »*

*Alexia s'est accroupie par terre, la tête entre les jambes. Elle pleurait. Lucille s'est alors avancée vers elle pour lui offrir des bonbons. Elle n'a pas bougé.*

Naïma est très ébranlée par ce douloureux souvenir.

*Je n'ai eu d'autre choix que de quitter les lieux.*

« *Je pensais pouvoir compter sur vous. Je me suis trompée là aussi.* »

*Nous sommes sorties dans l'air glacial sous le poids de cette exclusion irrévocable.*

« *J'ai tellement regretté d'avoir impliqué Alexia dans cette histoire. Jamais je n'aurais pensé que cette conversation déraperait comme ça. JAMAIS ! Mon psy m'a expliqué que c'était comme si un Chinois unilingue essayait de communiquer avec un Français unilingue.*

— Dans le fond, tes beaux-parents et ton ex, ce sont des fondamentalistes. Il n'y a qu'une vérité, la leur, et tous doivent la partager. Quelle ironie ! »

―

Nous nous sommes couchés, accrochés l'un à l'autre. Le plaisir, fenêtre ouverte été comme hiver, de se réchauffer peau contre peau.

« *Je suis faite à l'os.*

— Pourquoi ?

— *Je t'aime. Je n'irai pas me louer d'appartement. Même si je crois que nous ne sommes pas faits l'un pour l'autre, je t'aime. Je ne comprends pas, mais je t'aime.* »

Je me soulève et la regarde droit dans les yeux avec toute la tendresse et l'amour du monde.

« Je ne te tiendrai jamais pour acquise. »

# LA CRISE

# 7

Une impulsion subite. Je suspends la fabrication d'un vase que je veux offrir à mon amoureux et je compose le numéro de Michel, qui planche sur ses projets à la maison. J'ai le goût d'entendre sa voix. Il ne répond pas toujours lorsqu'il travaille mais, grâce à l'afficheur... Après quelques banalités, je m'entends lui dire...

« Je t'aime.

— Attention à mon cœur. À force de prononcer ces mots, je finirai par y croire pour vrai. »

Je la taquine.

« Mais moi, je t'aime encore plus.

— Oh non! Moi plus! »

Après avoir raccroché, je me demande quelle pulsion m'a poussée. Ces mots sont sortis encore une fois sans avertissement. Est-ce vraiment de l'amour? Suis-je redevenue aveugle? Où cet aveu me mènera-t-il?

« ARRÊTE!

— Comment?

— Tu es bien ? Profites-en et jouis du moment présent. »

Mon clone se serait-il mis à l'heure de Michel ? Peu importe. C'est vrai. Juste se sentir bien malgré tout et avoir confiance en l'avenir. Pas facile dans mon cas, mais cette vision mérite de s'y arrêter.

Mes réflexions sont interrompues par l'arrivée d'un client que je connais depuis plusieurs années. Il adore mes œuvres. Il est super gentil. Il m'a déjà envoyé plusieurs acheteurs. Il vient prendre livraison d'une grande assiette spectaculaire que j'ai créée pour sa mère. Il ne m'apparaît pas aussi joyeux que d'habitude. Il s'exclame sur la beauté du cadeau qu'il offrira à sa mère pour son soixante-quinzième anniversaire et il se dirige vers la porte de sortie.

« Vous embrasserez votre mère de ma part. »

Il acquiesce, s'arrête un moment et revient sur ses pas. Visiblement mal à l'aise, il se hasarde néanmoins.

« Ma blonde m'a quitté il y a un mois, après cinq ans d'amour fou. »

Comment peut-on quitter un homme aussi beau, aussi gentil, aussi riche, en plein dans la force de l'âge ? Chirurgien cardiaque de surcroît. Si j'étais libre...

« Je suis désolée.

— Je vous regarde, là. Je ne veux pas vous cruiser. Mais j'ai deux billets de spectacle pour ce soir. Accepteriez-vous de m'accompagner ? »

Je suis prise au dépourvu. Je ne veux pas l'offenser. Je gagne du temps.

« Je vais y penser !

— Excusez-moi pour cette...

— Vous n'avez pas à vous excuser. J'ai vos coordonnées, je vous rappelle. »

⁓

Autre sonnerie de téléphone. Afficheur. Naïma. Je réponds le cœur léger.

« Que puis-je pour votre service, madame ? Désirez-vous un menu spécial pour votre repas ce soir ? Un poulet moutarde ketchup peut-être ? »

Tous mes amis m'ont nargué pour cette recette d'un ex-beau-frère. Jusqu'à ce qu'ils y aient goûtée. Là, la surprise sur leur visage... J'ai beaucoup de succès avec cette recette accompagnée de frites maison avec pommes de terre, patates douces et persil. Je suis si mauvais en cuisine que je propose toujours (ou presque) ce plat, un des rares que je réussis.

*J'en ai marre, de son poulet. Pourquoi ne s'essaie-t-il pas comme tout le monde, un livre de recettes à la main, à concocter des menus différents ? Par paresse, me répond-il toujours. Je ne peux lui en vouloir. Son poulet est vraiment délicieux.*

« *Est-ce que ça te dérangerait si j'allais voir un spectacle avec un client ce soir ?*

— Pas du tout. Je ferai souper les filles et j'en profiterai pour m'avancer dans mon écriture.

— *Sa blonde l'a quitté et il avait deux billets...*

— Pas de problème. Je t'attendrai avant d'aller au lit. »

*C'est rassurant. Avec Michel, il n'y a jamais de problèmes. Que des solutions.*

Je raccroche, regarde l'heure, me lève, vais au frigo et amorce la préparation du souper. Laurence et Alexia se pointent alors dans la cuisine et, avec un synchronisme complice...

« On a faim ! On a faim ! »

Pas grand-chose dans le frigo. Allons au plus simple. Commandons.

« Sushis ou St-Hubert ?

— St-Hubert ! St-Hubert ! »

Mais Laurence n'est pas de l'avis de sa sœur.

« Sushis ! Sushis ! »

Elles s'enterrent mutuellement en tentant de me convaincre de leur choix. J'attends l'issue du combat, puis je me tanne.

« Ok, ok, j'ai compris ! »

❧

*La pièce de théâtre s'avère fort agréable, divertissante, riche, émouvante même. Je ne regrette pas d'avoir accepté l'offre de Patrick. À l'entracte, nous buvons un verre de vin. Il m'avoue être encore en amour avec son ex. Pourquoi l'a-t-elle quitté? La réponse est évasive. Je crois qu'il est heureux de mon oreille attentive. Il ignore que j'ai plusieurs fois fantasmé sur lui dans le passé. Heureusement.*

*Nous retournons nous asseoir pour la deuxième partie. Je m'ennuie déjà de Michel. J'ai hâte de retourner à la maison. Dans les dernières années de mon mariage avec Luc, je retardais toujours mon retour tant l'atmosphère était polluée par les disputes, les insultes, les bagarres. Quel beau changement.*

❧

Je suis assis au salon, mon ordinateur à proximité. Je suis fatigué. Des restants de sushis et de St-Hubert traînent encore sur la table. Je suis préoccupé. Inquiet. Je consulte ma montre pour la xième fois. Minuit vingt-trois minutes. Je me lève. Je vais à la fenêtre. Tout est calme dans la rue. Je passe devant la chambre des enfants. Elles dorment. Je retourne m'asseoir.

Je saisis mon cellulaire. J'hésite. Je ne vais quand même pas la harceler alors qu'elle vient de m'avouer son amour. Je dois la laisser respirer. Peut-être lui est-il arrivé quelque chose? Non, la vie ne peut pas nous avoir réservé une telle surprise.

Je tourne en rond.

❧

*Patrick a tellement insisté pour un dernier verre, le temps de terminer le récit de ses mésaventures amoureuses que je n'ai pas osé refuser. Nous nous sommes arrêtés chez lui à trois coins de rue de la maison de Michel.*

*Nous échangeons sur l'amour, les rapports amoureux, la durée des unions libres au Québec. Fort intéressant. Je regarde la deuxième bouteille de vin se vider rapidement. Je suis un peu engourdie. Je ne sais même plus l'heure. Michel... Je repousse son image. L'appartement est spacieux, sombre, confortable, favo-*

risant un ameublement antique aux antipodes de la décoration de Michel. Encore son image... Repoussée.

Patrick est vraiment beau. La conversation s'est arrêtée. Nous nous regardons. Il se lève et s'approche. Il me soulève les jambes et entreprend de me masser les pieds. Je suis tétanisée par l'alcool et par le... désir. Mais très mal à l'aise. Je lui souris timidement. Ses mains remontent sur mes jambes. C'est chaud, c'est doux, c'est bon. Je devrais l'arrêter, mais je ne peux pas. Il caresse mes cuisses. Je ne le repousse toujours pas.

Il se penche pour m'embrasser. Je ne réponds pas. Je reste distante. Mais je ne l'arrête toujours pas. Il est grand, solide, fort. Il me soulève, me prend dans ses bras pour me porter jusqu'à sa chambre. Je proteste... faiblement. Il me dépose sur le lit. Il m'embrasse. Je continue à protester... passivement. Je me sens extrêmement mal à l'aise. Je le regarde se dévêtir. Il est beau...

⁓

Le milieu de la nuit. Deux heures douze. Je suis terriblement inquiet. Je lui ai déjà téléphoné à quelques reprises au cours de la dernière heure. Aucune réponse. Devrais-je me renseigner auprès des hôpitaux ? Si elle ne m'appelle pas, c'est qu'elle doit être mal en point. La vie, la vie, ne me fais pas ce coup-là !

Naïma, je t'aime ! Où es-tu ? Que t'est-il arrivé ? En désespoir de cause, je recompose son numéro...

⁓

Je suis dans ma voiture à proximité de la maison. Une des fenêtres du salon est éclairée. Je sais qu'il m'attend. Je n'ai qu'une envie, rouler toute la nuit à tombeau ouvert sur l'auto-route. J'ai besoin d'aide de mon clone, de mon âme, de ma conscience.

Il m'est fidèle. Il s'assoit sur le siège du passager. Il est furieux. Je le comprends. Je le mérite. Mon cellulaire sonne à nouveau. Je suis incapable de répondre. La sonnerie devient

*infernale. Je pourrais l'arrêter. Je ne veux pas. Comme pour me*
*punir. Elle s'arrête enfin. Je me tourne vers mon clone.*

*« Qu'est-ce que je vais lui dire ?*

*— La vérité. »*

*Je supplie.*

*« Pas cette nuit... une autre fois.*

*— Penses-tu honnêtement que tu seras capable de lui*
*mentir ?*

*— Penses-tu que je serai capable de lui avouer... ?*

*— Oui.*

*— Non.*

*— Oui. »*

*Je suis désespérée.*

*« Pourquoi j'ai fait ça ?*

*— Arrête de te raconter des histoires, tu le sais très bien.*

*— Non ! »*

*Je me retrouve seule. J'ai toujours été tellement facile*
*à décoder, comme un livre ouvert. Je démarre la voiture et je*
*m'avance lentement vers la maison.*

—

Deux heures vingt. Je suis toujours assis au salon. Extrêmement inquiet. Je recompose son numéro inlassablement. J'entends enfin la porte d'entrée. Ouf ! Je l'entends monter l'escalier
très lentement. Elle pénètre enfin dans l'appartement. Elle me
regarde sans s'approcher. Elle a l'air bizarre. Que s'est-il passé ?
Je ne me lève toujours pas. Quelque chose me retient rivé à mon
fauteuil.

« Il est presque deux heures et demie. J'étais inquiet !

— Ça va ?

— Ça va... Mais toi, il y a quelque chose qui ne va pas ? »

Elle s'assoit en face de moi. Ce qui n'est pas dans ses
habitudes.

*« Je suis allée prendre un verre après... On a placoté... Je n'ai*
*pas vu le temps passer. »*

À son ton embarrassé, je devine qu'il s'est passé autre chose. Je poursuis sans agressivité. Plus désireux de connaître la vérité que de réagir.

« Dans un bar ?

*« Non, chez lui. Il habite à trois coins de rue d'ici. »*

*Le supplice s'éternise. Il doit m'arracher la vérité mot par mot. Sa douceur m'inquiète.*

« Et puis... ?

— *Et puis quoi ?* »

Je veux aller au bout.

« Et puis ?

— *C'est un client que je connais depuis quelques années et qui m'a toujours fait fantasmer. »*

*Oh que c'est difficile. Va jusqu'au bout. Advienne que pourra.*

*« Nous avons bu quelques verres... »*

Je me transporte dans la chambre de ce Patrick alors qu'elle continue le récit de sa fin de soirée. Il s'allonge sur Naïma qui ne réagit pas.

*Les images de cette soirée ne cessent de me hanter.*

*« J'ai le goût de toi... Laisse-moi te faire l'amour. »*

*Il a soulevé mon soutien-gorge, m'a caressé les seins, les a mordillés.*

J'imagine la scène. Des images qui peut-être ne devraient pas m'atteindre, mais elles me font mal. Naïma me regarde, triste.

*« Tout ce temps, je pensais à toi... »*

À l'imaginer se faire caresser par Patrick, je ne peux qu'être sceptique.

*Je ne peux pas croire que cela est arrivé. Les mains de Patrick ont descendu vers mon bas-ventre, se sont déplacées vers l'intérieur de mes cuisses puis, à l'intérieur de ma petite culotte, vers mon sexe. Je capotais. Les caresses s'éternisaient. J'ai fermé les yeux pour mieux en goûter le plaisir. Il a introduit ses doigts à l'intérieur de mon sexe, puis il est remonté, m'a caressé à nouveau les seins avec sa bouche et accentué le frottis-frottas.*

Je capote. Ça fait mal. Pourquoi ? À mon âge ? Réagir ainsi devant une histoire aussi banale ? Pourtant, je veux savoir. Tout savoir. Jusqu'où ce plaisir s'est-il prolongé ? Pourquoi ?

*À un moment donné, j'ai vu mon clone derrière Patrick et je crois même avoir vu celui de Michel. Un coup de massue. J'ai mis fin à ce torride corps à corps en repoussant doucement Patrick.*

*« Je dois rentrer... »*

*Je me suis relevée, j'ai ajusté mes vêtements et je suis sortie de la chambre devant Patrick, qui n'a pas insisté.*

Je suis attristé, blessé.

« Pourquoi tu as fait ça ? Tu venais juste de me dire que tu m'aimes.

— Ça n'a rien à voir avec toi. Rien à voir avec l'amour que j'éprouve pour toi. »

*Il ne répond pas. Son silence s'éternise. Je me sens de plus en plus mal, peu fière de moi.*

*« Si tu veux que je fasse ma valise, je peux partir tout de suite. Je récupérerai les enfants demain matin.*

— Arrête tes niaiseries ! »

Je la regarde attentivement. Son menton est encore rougi. Il est vrai qu'à deux heures du matin, les barbes sont longues.

*Je n'ai qu'une envie. Me cacher six pieds sous terre.*

⸺

Je suis couché sur le dos, immobile, les yeux grands ouverts. De ma position, je peux voir Naïma qui s'attarde sous la douche. Elle est belle. Sa nudité m'excite bien malgré moi. Je sens monter l'érection. Je tente de la résorber. Peine perdue. J'essaie au moins de la dissimuler à sa vue lorsqu'elle sort de la salle de bains pour venir se coucher, nue, tout à côté de moi.

Elle m'embrasse. Je ne bronche pas. Elle s'arrête, s'apprête à se relever.

*« Je vais aller dormir au salon. »*

Je la retiens.

« Pas question. »

*Je me colle à nouveau sur lui, infiniment triste d'avoir causé tant de peine à l'homme que j'aime.*

« Je m'excuse. J'aimerais tellement que tu comprennes. J'aimerais tellement ça comprendre moi-même. Je crois que je voulais seulement expérimenter. Ça fait une éternité qu'il m'attire, Patrick. Mais ça ne se reproduira plus. Je l'ai fait... c'est fini. Dis-moi que tu m'aimes. »

Je suis touché par sa douleur. Je me tourne vers elle. J'acquiesce. Elle m'embrasse, me colle. Elle découvre mon érection. Ses mains l'accentuent. Je résiste. Je m'en veux. Mais elle sait me travailler. Une pipe irrésistible. Je cède. Nous faisons l'amour. Elle, avec une passion renouvelée. Moi, avec tristesse.

—

Prise de bec avec Louise, ma réalisatrice, et Bianca, ma recherchiste. Depuis le matin que je ne me sens pas bien, irrité, agressif même. Ce n'est pas qu'elles soient en désaccord avec le contenu de ma capsule, mais elles en craignent les retombées qui pourraient aller jusqu'à mettre leur emploi en jeu. Je m'entête. De façon égoïste peut-être. Sûrement. La peur m'horripile. J'argumente. Je me fâche. Elles finissent par céder.

Heureusement que mes capsules sont diffusées en direct. Il s'agissait d'ailleurs d'une condition à l'acceptation de ce contrat. Pas de censure.

Je suis de nouveau à mon poste. Cette irritation m'a rendu à pic toute la journée. Je n'y peux rien. C'est comme ça. Je me jette à l'eau.

—

### L'ÉLOGE DE LA NUDITÉ

« Pouvez-vous m'expliquer pourquoi deux boules de chair peuvent créer autant d'émoi ? Pourtant, toutes les femmes, ou presque, en ont deux. »

*À l'écran, je peux voir diverses paires de seins. Je vois bien que Michel est à cran.*

*« Est-ce que tu te sens un petit peu coupable?*

*— Je n'ai pas besoin de toi pour culpabiliser.*

*— Comment as-tu pu lui causer tant de peine, si tu l'aimes? »*

*Mon petit clone a le don, parfois...*

« Ô NUDITÉ! TU ENGENDRES LA HONTE, LA JALOUSIE ET LA RÉPRESSION DANS NOTRE VIE AMOUREUSE, SOCIALE, PROFESSIONNELLE. EN PLUS, Ô COMBIEN ES-TU PERNICIEUSE POUR LES ENFANTS. QUE DE PÉCHÉS T'A-T-ON ATTRIBUÉS? COMBIEN DE FOIS A-T-ON VOULU TE PUNIR AU NOM D'UNE RELIGION, D'UNE MORALE, D'UNE CULTURE... D'UNE ESTHÉTIQUE? DE COMBIEN DE CRIMES T'A-T-ON RENDUE RESPONSABLE? DE COMBIEN DE PERVERSIONS T'ACCUSE-T-ON? »

Je sens les techniciens en studio rivés à mes lèvres et à l'écran. Ils rigolent. J'espère quand même que la suite ne provoquera pas de conséquences négatives pour Louise et Bianca. Je continue.

« POURTANT, N'ES-TU PAS L'ÉTAT NATUREL DE L'ÊTRE HUMAIN? POURQUOI, ALORS QUE TU ES SAINE, NORMALE, NATURELLE, ES-TU CONSIDÉRÉE MAUVAISE DANS L'ŒIL DU CONJOINT, DE L'AMI, DE L'ENFANT... QUAND TU T'EXPOSES EN PUBLIC? POURQUOI EN SOMMES-NOUS ARRIVÉS À NOUS REGROUPER DANS DES ENDROITS SOMBRES POUR VOIR UN HOMME OU UNE FEMME EXÉCUTER UN STRIP-TEASE? *FUCKÉS* PAS À PEU PRÈS... »

Regardez bien. Le meilleur arrive.

« FAISONS UN PETIT TEST. REGARDEZ LES IMAGES SUIVANTES... »

*Où veut-il en venir avec ces images d'adultes et d'enfants victimes de violence, d'atrocités dues à des fusillades, à des bombardements? Des images insoutenables.*

« ÇA VOUS ATTRISTE, VOUS HORRIFIE, VOUS VOULEZ CHANGER DE POSTE, FUIR CES HORREURS? ÇA SE COMPREND. MAINTENANT, REGARDEZ LES IMAGES SUIVANTES... »

*Tu vas trop loin Michel. Trop loin! Je regarde ces images d'une femme complètement nue qui vaque à ses occupations ménagères, puis un homme nu, qui l'aide et dont on voit à un moment donné une solide érection.*

*Que vont penser ma mère, qui porte le foulard, mon frère, mes deux sœurs, Luc, mes enfants? Je ne veux même pas y songer. Encore une fois, la même question. Pourquoi Michel ne pense-t-il pas à ma situation en montrant ces images ? Pourquoi ses patrons l'ont-ils laissé diffuser ces images ? »*

Je rigole devant tous ces regards surpris.

« JE SUIS CURIEUX DE VOIR COMBIEN DE PERSONNES SCANDALISÉES VONT TÉLÉPHONER À CETTE STATION DE TÉLÉ POUR PROTESTER AVEC DES HAUTS CRIS DEVANT CES IMAGES... ALORS QU'ELLES SONT RESTÉES PASSIVES DEVANT LES IMAGES PRÉCÉDENTES. ON N'EST PAS UN PEU MALADES ?

APRÈS TOUT, ON EST TOUS FAITS PAREIL, EN PLUS PETIT, EN PLUS GROS, EN PLUS BEAU, EN PLUS LAID... MOI, JE PEUX VOUS SUGGÉRER UNE BONNE THÉRAPIE... DÉSHABILLEZ-VOUS LÀ, TOUS ENSEMBLE, REGARDEZ-VOUS MUTUELLEMENT ET... RIEZ ! »

—

Je passe voir Louise et Bianca avant de quitter le studio. Elles me confirment que la station est submergée d'appels et de courriels. Je me sens plus calme malgré la tempête que je viens de déclencher. Au moment de partir, Louise m'arrête. Elle vient de raccrocher. Nous sommes convoqués à la direction.

Comme prévu, le directeur, mon ami Robert, est furieux, ce qui provoque instantanément ma colère.

« Tu me connais. Tu ne pensais quand même pas que j'allais toujours me confiner au rose bonbon. Il y a des sujets qui doivent être abordés pour obliger les téléspectateurs à se poser des questions et à évoluer.

— Je ne t'ai jamais demandé de faire évoluer la société, ostie de prétentieux !

— Ose dire que j'ai eu tort dans mes propos. S'il y a tant de monde qui hurle, c'est que j'ai peut-être visé juste, non ?

— Là n'est pas la question ! Ce ne sont pas que les frustrés qui me tombent dessus, mais bien des enfants, mes patrons et mes commanditaires.

— Profitons-en ! Préparons un grand dossier télévisé, un débat public auquel je m'empresserai de collaborer.

— Il n'en est même pas question pour le moment. Je dois laisser retomber la poussière et éteindre les feux. Compte-toi chanceux si nous ne sommes pas forcés, toi inclus, de présenter des excuses publiques.

— *Over my dead body!*

— Je peux déjà t'annoncer que ton contrat ne sera pas renouvelé. »

Je n'ai qu'une réponse *cheap* et vulgaire qui me vient à l'esprit. Je réussis à m'abstenir. Je me contente d'être baveux.

« J'aurai plus de temps pour écrire. »

Je me dirige vers la sortie.

« Dis à Louise et Bianca qu'elles peuvent entrer. »

J'ouvre la porte pour les laisser passer et je leur dis bien haut pour que Robert entende :

« Tenez-vous debout, les filles ! »

—

J'ai invité toute ma famille à venir manger à la maison. Je les reçois dans la cour arrière avec l'autorisation, l'aide et la présence de Caroline et de Bernard. Au menu en cette très chaude journée estivale de fin juillet : Dom Pérignon et hot-dogs sur BBQ.

J'ai demandé à Naïma de transmettre l'invitation à toute sa famille. Seule sa sœur Aïcha l'a acceptée, accompagnée de ses deux petits garçons.

Mes filles et leurs conjoints, mon petit Fred, Élizabeth et son mari, mes sœurs ainsi qu'une amie, Coralie, avec qui j'ai déjà eu une aventure dans une autre vie (Naïma est au courant) sont de la fête.

L'occasion ? Aucune. Sinon le plaisir d'être ensemble. Évidemment, ma dernière capsule alimente les conversations. Mais l'inquiétude de Naïma ne semble aucunement partagée. Elle cherche à comprendre en interrogeant mes filles.

« *Ça ne vous choque pas ?* »

Marie-Ève, mon aînée, rigole.

« Il a fallu s'habituer à ses excès avec le temps. Il a toujours voulu provoquer afin d'obliger les gens à se poser des questions. »

Alice, ma benjamine, abonde dans le même sens.

« Ça ne veut pas dire que nous sommes d'accord, mais on l'aime comme ça.

— *J'ai toujours peur que ça lui crée des problèmes.*

— Il aurait eu beaucoup plus de problèmes s'il avait pris une blonde plus jeune que moi ! »

Alice éclate de rire.

*« J'ai dû éviter la catastrophe de peu.*

*— Pas loin ! »*

*Je reviens à la charge.*

*« Ils ont été inondés de protestations à la station. Son patron a même menacé de le foutre à la porte.*

— En fait, il ne renouvellera pas mon contrat.

— *C'est maintenant que tu me le dis ? »*

Je hausse les épaules.

*« Et c'est tout l'effet que ça te fait ?*

— Je lui ai répondu que ça me donnerait plus de temps pour écrire. »

*Marie-Ève et Alice éclatent de rire devant mon air désemparé. Marie-Ève lève son verre.*

« I'll drink to that ! »

*Tout le monde suit. Je ne sais pas trop comment réagir. Quand je regarde cette famille unie malgré leurs différences, les difficultés à surmonter, les problèmes à résoudre, je m'interroge. J'ai tellement déployé d'efforts pour conserver la mienne unie pour n'aboutir qu'à un échec lamentable que je me demande où je me suis fourvoyée. Mes filles habitent chez leur père cette semaine. Je m'en ennuie.*

*Aïcha, qui me connaît très bien, s'approche de moi. Tout le monde l'a accueillie à bras ouverts. Il faut dire qu'elle est merveilleuse. Malgré son adhésion totale à l'islam, elle a toujours été là pour moi, même si nous ne nous voyons pas tellement souvent et que je mène une vie à l'opposé de ses valeurs.*

*« À ta nouvelle vie, grande sœur. Tu n'auras pas volé ton bonheur. »*

*Heureusement qu'elle n'est pas au courant de ma récente incartade. J'aurais bien trop honte de la lui avouer.*

Je m'amuse comme un fou avec mon petit Fred. Il me vient alors une idée amusante. Je l'attire à l'écart et je lui parle à l'oreille. Il acquiesce et se dirige immédiatement en courant vers Naïma en criant.

« Grand-maman ! Grand-maman ! Un verre de jus, s'il vous plaît ! »

Frédéric se tourne aussitôt vers moi pour savoir s'il a bien exécuté sa mission. Je lève le pouce en lui adressant un clin d'œil. Naïma me regarde et éclate de rire.

« Je ne voulais pas que tu te sentes trop jeune devant ma famille. »

Elle lève son verre dans ma direction.

Je vois tout mon petit monde réuni. Surtout Naïma et Aïcha, qui s'intègrent très bien à mon univers. J'apprécie pleinement d'avoir retrouvé mon bonheur. L'épisode Patrick est déjà oublié. J'ai vu et senti sa peine et son remords de s'être conduite ainsi.

Naïma va poursuivre des études universitaires en psychologie tout en continuant à travailler. Elle s'est déjà inscrite pour la prochaine session. Ce sera du sport à gérer comme horaire, mais je la soutiendrai avec enthousiasme.

# LA DEUXIÈME CRISE

# 8

*Il y a peu de clients cet après-midi à la boutique. J'ai décidé que je ne travaillais pas le verre aujourd'hui. J'en profite pour réfléchir à ma vie. Je crois qu'elle se stabilise enfin.*

*Ma session universitaire va débuter bientôt. J'aime Michel. Mon ex semble vouloir me donner un répit. Je vois davantage Aïcha. Alexia éprouve encore quelques difficultés d'adaptation à la garde partagée et à Montréal, mais elle est sur la bonne voie. Laurence est d'accord pour prolonger notre séjour chez son nouveau beau-père. L'incident de Patrick est derrière nous.*

*Il y a longtemps que je n'avais pas ressenti une telle paix intérieure. Rapidement troublée par mon clone.*

*« Tout n'est pas réglé.*

*— Oui... pour l'instant.*

*— Non, et tu ne pourras pas te le cacher encore longtemps. »*

*Je hausse le ton.*

*« Laisse-moi respirer. »*

*Il y va d'un ricanement qui me met fort mal à l'aise, un ricanement qui s'infiltre jusque dans mes tripes.*

Le téléphone m'arrache à ma rêverie. Je regarde l'afficheur. Patrick. Je suis heureuse qu'il me rappelle après notre dernière rencontre où je l'avais vraiment laissé en plan, probablement très frustré même s'il n'a rien voulu laisser paraître. La conversation s'engage de la façon la plus anodine.

« Aurais-tu encore trois verres, tu sais les jaunes et rouges, comme ceux que je t'ai commandés le mois dernier ? »

Je regarde sur mes étagères.

« Oui.

— J'en aurais vite besoin pour une amie. Est-ce que tu accepterais de me les laisser à la maison ce soir en retournant chez toi ? Je suis en salle d'op toute la journée.

— Bien sûr, mais je ferme à neuf heures.

— Parfait. Merci. Bye. »

Je raccroche. Mon cœur bat la chamade. Je ferme les yeux.

« Non, non, non et non ! »

—

Tout au long du trajet, j'ai senti ce désir me dévorer. J'ai lutté, lutté… Je suis maintenant garée devant son immeuble. Je me force au calme. Je n'ai qu'à déposer les verres chez lui et repartir tout simplement. De toute façon, après la déconvenue de l'autre soir, il n'a sûrement pas envie de récidiver.

« À ta place, j'en profiterais ! Je m'enverrais en l'air, mais comme il le faut cette fois ! Comme ça, tu n'auras jamais de regrets.

— Il n'en est pas question ! Et toi, depuis quand est-ce que tu m'encourages à m'enliser ?

— As-tu téléphoné à Michel pour lui dire que tu t'arrêtais ici ?

— La ferme !

— Tu vois… Tu t'es laissé une porte ouverte. Michel est un dépendant affectif. Il l'a claironné à tout le monde à la télé. Il va comprendre qu'à ton âge, tu as besoin de… »

Je l'envoie paître.

« Ta gueule ! »

*Je réalise qu'un passant m'a entendue. Il me regarde, cher-*
*chant à comprendre. Devant mon regard foudroyant, il passe*
*son chemin.*

*Je descends de voiture et je me dirige, tendue, vers la porte.*
*Je sonne. Patrick m'ouvre. Je lui tends le paquet. Il est au télé-*
*phone. Il me fait signe d'entrer.*

*« Non, je n'ai pas le temps.*

*— Juste deux minutes. »*

*Il laisse la porte ouverte et retourne à l'intérieur. Je sens mon*
*cœur s'accélérer et j'entre à mon tour. J'assumerai s'il y a lieu...*

—

Il est tard. Naïma n'est toujours pas rentrée. Son cellulaire
ne répond pas. Je suis inquiet, stressé, en colère. Un dernier
appel. Toujours rien. Je lance l'appareil sur le sofa. Les filles
sont au lit, heureusement.

« Crisse ! Où est-ce que tu es ? Pas avec lui quand même ? »

Mon clone favori, à certaines heures seulement, me
rejoint.

« Si elle est allée baiser avec son Patrick, qu'est-ce que tu
vas faire ? »

Il rigole, le chien.

« L'éloge de la jalousie à ton émission ?

— Je vais la câlisser dehors !

— C'est un autre petit bout de queue qui te fera tout foutre
en l'air ? Tu en es encore là au xxie siècle ?

— Je n'ai pas besoin de ça dans ma vie.

— Ça, ça va faire un homme de toi !

— J'ai vraiment pas besoin de toi à soir ! Décrisse ! »

Je me dirige à nouveau vers la fenêtre. Elle est dans son
véhicule. Qu'est-ce qu'elle fout ?

—

*Cette fois-ci, je suis allée jusqu'au bout. À la fois très bon et*
*horrible. Il m'a prise par-devant, par-derrière. Je jouissais puis*

*je gelais à la pensée de Michel. Mais, je poursuivais. Je l'ai pris avec ma bouche. Plus j'avançais, plus la culpabilité me dévorait. Mais, pas question que je m'arrête. Mon corps refusait et mon esprit n'exerçait plus aucun pouvoir. Ce n'était ni mieux ni moins bon qu'avec Michel, mais l'énergie était différente.*

*Je suis sortie de chez Patrick épuisée, vidée, remplie de remords. J'étais fière de moi et je me maudissais en même temps.*

*J'ai quadrillé la ville dix fois plutôt qu'une. J'ai parlé à mon père en passant devant le cimetière où il était enterré et j'ai compris que je devais assumer.*

*Je suis garée devant la maison. Il m'observe sûrement à travers la fenêtre. Tout à coup, mes forces m'abandonnent. Mes jambes flageolent. Ai-je gâché mes chances d'une vie heureuse avec un homme que j'aime? Cette fois-ci, il ne me le pardonnera pas. Et avec raison.*

*Même avec un mensonge béton pour lui éviter de la peine et m'en sortir (je l'avoue), il lirait en moi. Je suis trop transparente et très mauvaise comédienne. Ma seule lueur d'espoir? Sa dépendance affective? Je ne miserais pas là-dessus ce soir.*

—

Je la vois enfin sortir de la voiture. Je retourne m'asseoir. Mon cœur bat à un rythme d'enfer. Je veux me calmer. Je tente de me calmer. Elle monte l'escalier très lentement. Calme-toi! Calme-toi! Elle s'arrête à l'entrée du salon.

« Ça va? »

Sa petite voix confirme mes appréhensions. Je deviens agressif.

« Et toi? »

Elle vient s'asseoir près de moi tout en conservant une certaine distance… comme la première fois.

*« J'ai revu Patrick. Puis, je me suis promenée sur la montagne. J'avais besoin de réfléchir. »*

Je m'en veux de poser cette question, mais c'est plus fort que moi.

« Vous avez baisé ? »

Cette fois-ci, je n'ai pas besoin de me transporter dans la chambre de ce Patrick pour recevoir cette émotion en plein cœur. Je suis profondément blessé. Et je m'en veux autant que je lui en veux. D'une voix très douce, elle admet sans répondre directement.

*« Je me demande si ce n'est pas une façon pour moi de me convaincre que je me suis réapproprié ma vie, ma liberté... Je crois être encore en transition. »*

J'encaisse.

« As-tu eu le temps de penser à ce que ça me ferait ?

*— Je ne voulais pas y penser. Je te le répète, ça n'a rien à voir avec toi... Je t'aime. »*

Sa sincérité me déconcerte.

*« Tu as vécu tous tes* trips. *Moi pas... »*

*Cette fois, je ne peux retenir mes larmes.*

Malgré moi, parce que je sais que ça ne mènera nulle part, l'agressivité prend le dessus.

« Te rends-tu compte que tu as préféré aller baiser avec un autre en sachant que ça me blesserait et ça, pendant que je gardais TES enfants ? »

Elle sait fort bien que j'ai raison.

*Je dois assumer. Je me lève.*

*« Je te l'ai déjà dit. Peut-être que je n'aurais pas dû déménager avec toi aussi rapidement. »*

La même menace de sacrer son camp qui revient.

*En route vers la chambre, je m'arrête et je reviens m'asseoir pour plaider ma cause, pour essayer de lui faire comprendre ce que je vis, le dilemme auquel je suis confrontée.*

*« C'est juste un* trip *de cul. »*

Est-ce que ça deviendrait ma faute ?

« Parce que ça ne va pas bien de ce côté-là entre nous ? »

Elle se rapproche, me caresse les lèvres, les cheveux. Je reste de marbre.

*« Au contraire. Je ne l'ai pas flirté. Je n'ai pas choisi ce qui m'arrive. Je n'ai juste pas su résister...*

— On a toujours la possibilité de dire non ! »
Elle se raidit.

« *Ça, c'est une réflexion de vieux.* »

Le ton monte. Avec une pointe de sarcasme.

« Tu t'es dit qu'un dépendant affectif passerait par-dessus ?

— *Tu dérapes complètement !*

— Qu'est-ce que tu penses qui va se passer à partir de maintenant ?

— *Je ne le sais pas !* »

Je n'ai pas le goût de prolonger cette conversation. Je me lève et me dirige vers la chambre. Elle demeure assise, prostrée.

—

Nous sommes maintenant couchés sur le dos, loin l'un de l'autre, les yeux grands ouverts. Une terrible tristesse nous habite.

*Je réalise la profonde blessure que je viens d'infliger à l'homme que j'aime. Pourtant...*

« *Patrick me caressait avec des mains vides. Toi, quand tu me caresses, c'est avec des mains pleines. Ça goûte bon, ton amour sur ma peau.* »

*Long silence.*

« *Il ne t'arrive pas à la cheville. C'est un courailleux, très* self-serving... »

*Je me sens un peu vache d'offrir ça comme argument, mais c'est vrai.*

« *Je t'aime ! Et c'est fini avec lui.*

— Tu m'as dit la même chose la dernière fois.

— *Peut-être que c'est vrai que, parfois, il faut perdre la tête pour retrouver son cœur, sa vie. Peut-être aussi que d'avoir fait l'amour avec lui, ça me convainc un peu plus que je suis bien à ma place avec toi.* »

Autre long silence. Ce sont nos dernières paroles avant une longue nuit d'insomnie.

—

Nos relations sont tendues depuis quelques jours. Nous mentons de notre mieux aux enfants pour ne pas leur en mettre davantage sur le dos. Nous prétendons que tout va bien, que nous sommes heureux en amour, mais un peu fatigués à cause d'une surcharge de travail. Mais nous sommes de minables menteurs. Notre langage corporel nous trahit. Elles ne sont pas dupes, mais n'osent pas vraiment nous questionner. Heureusement, elles quittent la maison pour aller passer la prochaine semaine chez leur père.

Nous avons peu ou pas reparlé de ce qui s'est passé. Nous cherchons une solution, s'il y en a une. Il doit y en avoir une. Elle n'est juste pas évidente. Elle ne s'impose pas d'emblée.

Vais-je être condamné, si je réussis à passer par-dessus son aventure que je sais très bien être banale, à ce que cela devienne mon lot avec elle dans l'avenir, compte tenu de notre différence d'âge ? Est-ce que je peux ou veux vivre comme ça ?

—

*Je me fais discrète. Suis-je en sursis ? Qu'adviendra-t-il de mes enfants si nous nous séparons ? Elles qui viennent de s'attacher à celui qui les gâte, s'occupe d'elles, les aide. Pourquoi me suis-je foutue dans ce pétrin ? Est-ce ma destinée ?*

*Je sens poindre une réponse à mon comportement, mais je ne suis pas prête à la laisser entrer. Peu importe vers qui je voudrais me tourner, à qui oserais-je confier ou avouer ma conduite ?*

*Qu'est-ce qui émane de moi ces jours-ci ? Quelle vibration est-ce que j'émets ? Un autre client de la boutique m'a abordée cette semaine pour me faire une proposition étonnante.*

*Il m'avait vue, il y a quelques semaines, en présence de Michel, que je lui avais présenté en tant que conjoint. Un bel homme, fin quarantaine, début cinquantaine, homme d'affaires, sûr de lui, avec une pointe d'arrogance déplaisante. Il*

n'est pas venu acheter. Il m'a proposé un souper dans un restaurant ultrachic.

« *Ma femme et moi avons un mariage très ouvert, m'a-t-il
dit. Je sais que ça ne doit pas toujours être très satisfaisant sur
le plan sexuel avec ton conjoint vu son âge, alors si tu es en
manque, on pourrait aller manger ensemble et terminer la soirée
en beauté.* »

*Je l'ai envoyé paître et foutu à la porte, insultée qu'il traite
Michel de la sorte.*

*Mais si les hommes me font de telles propositions, est-ce
parce qu'ils sentent qu'il y a une ouverture chez moi ? Je répugne
à cette idée, bien que, d'un autre côté, je sois flattée qu'on me
trouve encore attirante.*

—

Les filles sont revenues. Nous étions contents de les
accueillir. J'espérais que cela contribuerait à diminuer la tension entre nous. Hélas, en ce qui me concerne, il n'en est rien.
Au contraire, le nuage s'épaissit. Je l'aime. Je ne veux pas la
perdre, mais, je veux être heureux. Ce n'est pas facile comme
situation.

Caroline, pour nous rendre service, a engagé des ouvriers
pour enlever le tapis de l'escalier intérieur qui mène à la porte
d'entrée et vernir les marches. Or c'est l'heure du souper. Les
odeurs sont de plus en plus étouffantes, toxiques. J'ai mal à la
tête. Les filles ne se plaignent pas encore, mais elles sont visiblement incommodées.

« Ça sent l'enfer ici ! Ça ne vous étouffe pas, vous autres ? »
Les enfants acquiescent.

« Prenez vos affaires, on va aller coucher à l'hôtel.

— *Je ne peux pas ! J'ai des rapports à remettre d'urgence
demain à la boutique. Je ne peux vraiment pas.*

— Mais c'est toxique, ça ! »

Irrité au plus haut point, je me dirige vers la porte qui donne
sur l'escalier. J'apostrophe l'ouvrier qui est le plus près de moi.

« Qu'est-ce qui vous prend de vernir à l'heure du souper ? »

Il continue à travailler sans même me regarder.

« C'est le seul temps qu'on avait !

— Vous auriez pu au moins mettre une protection. Calfeu-trer la porte. On étouffe en dedans. C'est toxique, ça ! Il y a des enfants ici ! »

Il ne me regarde toujours pas, même s'il est à quelques marches de moi. Je sens la pression monter dangereusement.

« Ça, c'est pas mon problème ! Adresse-toi à la propriétaire !

— Câlisse de con ! »

Enfin, il me regarde.

« Qu'est-ce que tu viens de dire ?

— T'as très bien compris. T'es un câlisse de con d'air bête ! »

Je lui claque la porte au nez. Je n'avais pas prévu qu'il mon-terait les dernières marches pour m'engueuler. J'imagine que la porte a dû lui arriver à un centimètre du nez. Comme je ne l'entends pas débouler les marches, j'estime que je ne serai pas poursuivi pour tentative de meurtre.

Devant cette flambée inhabituelle de violence de ma part, Laurence, Alexia et Naïma se sont rapprochées. La porte s'ouvre aussitôt. Le baveux sent le besoin de s'exprimer.

« Tu pourrais au moins être poli ! »

Son ton de bravade décuple ma colère.

« Toi, tu décrisses puis tout de suite !

— J'ai pas fini !

— Oh oui, tu as fini ! »

Je m'approche et donne un coup de pied sur le gallon de vernis qui déboule dans les marches.

« Tu ne remets plus jamais les pieds ici ! Décrisse !

— Va te faire soigner, *man.* »

Il ne demande cependant pas son reste et, devant le fou furieux que je suis devenu, il s'en va. Naïma et les enfants sont stupéfiées.

Ce qui m'a fait *tilter*, c'est le ton de sa réponse : « Ce n'est pas mon problème. » Faut dire que je l'avais quand même un peu provoqué en l'apostrophant ainsi.

Plus jeune, donc il y a très longtemps, je piquais des crises qui duraient parfois plusieurs jours et je démolissais tout autour de moi. Par insécurité. Par impulsion. Par incompréhension. Par hérédité. Mais la personne la plus malheureuse lors de ces épisodes, c'était moi. Je me détruisais. L'arrivée d'un long contrat, d'un changement radical de régime alimentaire et de France dans ma vie m'a permis de réaliser à quel point je me faisais du mal. Ce fut la fin de mes crises.

Aujourd'hui, mes colères peuvent encore surgir, mais elles sont très ciblées et courtes. Comme celle-ci.

J'aurai toujours en mémoire mon père qui avait foutu un coup de poing sur la gueule de son beau-frère, qui venait de traiter de pouilleux les péquistes le soir de leur arrivée au pouvoir en 1976. Quel drame familial ! Mon père était pourtant un homme généreux et pacifique.

C'est à l'évocation de ce passé et de tous ces souvenirs, réfugié dans ma chambre pour décompresser, que je vois arriver Laurence. Elle tente une timide approche.

« Veux-tu un morceau de chocolat ? »

Elle sait que j'ai un faible pour le chocolat. Je lui fais un signe de tête négatif. Elle bat en retraite et croise sa mère en haussant les épaules devant son échec. C'est au tour de Naïma et d'Alexia de se pointer.

*« J'étais convaincue que tu blaguais au début... C'est la première fois que je te vois fâché. J'en étais venue à penser que tu en étais incapable. Ça me rassure. »*

*Je m'assois à ses côtés, mais visiblement, il ne veut rien savoir, encore trop enragé. Il s'efforce néanmoins d'afficher une certaine douceur.*

« Je vais vous rejoindre tout à l'heure.

— Comment tu peux résister à une aussi belle femme que ma maman ? »

Je me laisse peu à peu amadouer devant tant de bonne volonté de leur part.

« Tiens, je vais te faire comme France, je vais t'enlever toute ton énergie noire... »

Alexia se met à faire des gestes désordonnés censés imiter ceux de mon amie guérisseuse. Elle est tellement drôle que, conquis, je ne peux m'empêcher de lui sourire.

« Yé, ça marche ! Je suis une vraie guérisseuse ! Une guérisseuse ! »

Laurence, un peu à l'écart, a tout vu. Elle me regarde droit dans les yeux.

« On n'aime pas ça te voir comme ça parce qu'on t'aime. »

Là, je suis carrément ému. Vaincu. Au plancher.

—

*Le milieu de la nuit. Nous sommes au salon dans la pénombre. Nous discutons depuis des heures. La véritable raison de mon comportement des dernières semaines m'apparaît plus clairement.*

« *Nous sommes chanceux. Je ne suis pas en amour avec Patrick et il n'est pas en amour avec moi. C'est toi que j'aime.* »

Elle se répète.

« *Avant toi, j'avais fait l'amour avec trois hommes seulement. Avec Martin, quand j'étais adolescente. Avec mon mari. Et avec James, celui qui ressemblait à Al Pacino. Une fois.* »

« Tu es encore très jeune. Tu es une femme magnifique. »

Quand elle est passionnée, elle devient encore plus belle.

« Come on ! *Vous autres, les hommes, vous vieillissez bien, mais nous les femmes, surtout si nous avons eu des enfants, c'est tout le contraire... Il me reste combien de temps, tu penses, pour avoir un corps encore un peu potable ? J'ai juste le goût d'en jouir un peu. Toi, tu as eu combien de femmes dans ta vie ?*

— Je suis tombé en amour cinq fois et tu es la troisième femme avec qui je vis...

— *Et combien d'aventures ?* »

Que puis-je contre un tel argument ?

« *Au moment où j'ai réalisé que je t'aimais, j'ai paniqué. Je me voyais enchaînée alors que je n'ai jamais pu vivre mon adolescence.* »

J'essuie une toute petite larme qui pointe sous son œil gauche et je l'embrasse.

—

*Il est déjà couché. Je me prépare dans la salle de bains attenante. Mon clone en profite pour me narguer et me faire avouer la vérité.*

« *Tu as encore envie de baiser avec Patrick ?* »

*Je suis honteuse, mais je dois me rendre à l'évidence.*

« *Oui.*

*— Je te comprends. Tu as raison. Il est beau. Dis-le à Michel.*

*— Ça ne va pas, non ?* »

*Elle est ratoureuse. Elle me connaît tellement.*

« *Tu meurs d'envie de le lui dire.* »

*Je fais non de la tête.*

« *Ou alors si tu l'aimes, tu vas arrêter de lui faire du mal. C'est simple, simple, simple. Continue à voir ton amant en cachette. Comme ça, tout le monde sera heureux.*

*— Ce n'est pas mon amant.*

*— Comment tu appelles ça, d'abord ?* »

*Ma voix est étranglée par l'émotion.*

« *Je ne sais pas comment me sortir de ça sans blesser Michel et sans me blesser, moi...*

*— Je veux voir comment tu vas te dépêtrer. Va le rejoindre au lit. Je te regarde.* »

J'ose espérer que notre conversation de ce soir a mis un point final à ce passage difficile de notre relation et que nous pourrons vivre notre amour dans la sérénité. Elle vient se coucher. Elle se colle contre moi. Je suis tellement bien. Nous sommes tellement bien. Heureux.

*Je suis remplie d'appréhension, mais je dois plonger.*

« *M'aimes-tu vraiment ?*

— Oh, oui ! Autrement, nous ne serions pas ici en train de nous coller.

— *Tu sais, je n'aime pas Patrick, mais nous avons quand même plusieurs points en commun. Je ne veux pas couper les ponts avec lui.* »

*Il esquisse un léger mouvement de recul.*

« Parce que tu as encore envie de baiser avec lui, c'est ça ? »

Elle est incapable de répondre, ce qui constitue un aveu. Je me lève d'un bond et quitte la chambre.

« *Michel ! Michel !* »

*Je l'entends claquer la porte du corridor. Je me soulève dans le lit et martèle le matelas de mes poings.*

« *Non, non et non ! Pourquoi tu te fous dans la merde comme ça, espèce de conne ?* »

*J'éclate en larmes en m'enfouissant la tête dans l'oreiller.*

—

*J'ai allumé mon petit téléviseur à l'atelier pour regarder en direct la dernière capsule de Michel avant l'expiration de son contrat. Il était d'humeur massacrante depuis quelques jours. Sa dernière prestation me fait peur. J'ai appris que lorsqu'il est dans cet état, il fonce et ses provocations peuvent bien dépasser la mesure qui le caractérise en temps normal. Et je me sens totalement responsable de son humeur des derniers jours. Nous n'avons pas reparlé de Patrick, mais le nuage ne cesse de s'alourdir au-dessus de notre couple.*

*Il apparaît à l'écran. Il tente d'afficher un petit sourire et un ton amusé qui ne me trompent pas.*

« Mon contrat prend fin aujourd'hui, donc je veux terminer en beauté et en force. »

Je souris. Je sais que je peux compter sur le soutien de ma réalisatrice et de ma recherchiste pour cette audacieuse capsule. Elles sont furieuses de la décision de la direction de ne pas renouveler mon contrat et elles ont décidé de m'appuyer jusqu'au bout. Elles jouissent même de ce qui vient. Je les imagine dans la régie.

« Comment faites-vous l'amour ? Non, non, je ne parle pas des positions, je parle de votre âme... L'âme de votre sexe, comment la nourrissez-vous ?

Faites-vous l'amour à répétition, sans amour, comme une bête, juste pour changer d'huile ? Pour expérimenter, expérimenter et expérimenter encore ? Quelle tristesse ! »

*Je me sens visée. Jusqu'où ira-t-il ?*

« C'est comme si vous ne mangiez que des hot-dogs... Méchant cancer au bout de la ligne. Inévitable aboutissement du JUNK FOOD. »

*Ne sois pas méchant, s'il te plaît. Ça ne te ressemble pas. Ce n'est pas toi.*

« Faites-vous l'amour avec amour ? Avec partage de sentiments, de tendresse, d'affection ? Quel régal ! Comme si vous dégustiez un repas gastronomique santé. »

*Ouf ! Il retombe sur ses pieds.*

« Ou si vous voulez jouir davantage, quoi de mieux que d'atteindre l'extase mystique, la communion totale de l'âme et du corps en faisant l'amour. La béatitude. Mais là, tenez-vous bien... »

*Je n'aime pas ce sourire. Il n'a jamais voulu me faire part de ses intentions lorsqu'il s'est absenté à plusieurs reprises depuis quelques jours.*

« Quoi de plus logique pour un geste sacré que de l'accomplir dans un lieu sacré. »

*Je n'en crois pas mes yeux. Sur l'écran, un couple nu fait l'amour sur l'autel d'une église au son d'une musique gospel déchaînée... sous les regards bienveillants des icônes de Jésus, Marie et Joseph.*

« Comme dans une église, ou une synagogue ou une mosquée... C'est sur ces saintes pensées que je vous laisse mijoter... Bye ! »

*Ce que tu peux être con quand tu veux. J'ai beau sourire devant son audace, je n'en demeure pas moins choquée. Si ma mère et mon ex... Toujours cette peur.*

—

Protestations de groupes religieux, de citoyens enragés et même de Naïma, qui m'a accusé de manquer de respect aux croyants catholiques. Nous sommes à l'âge du *politically correct* où tu ne peux rien dire qui risquerait d'offenser le dernier crétin venu. Le nouvel âge de la censure qui a provoqué mon congé- diement. Je n'ose imaginer si mon couple d'amoureux s'était accouplé dans une mosquée au lieu d'une église catholique. J'aurais bien été trucidé.

Aucune réaction de la direction. J'ai appris que Louise et Bianca ont été semoncées vigoureusement. Elles se sont tenues debout. Phénomène de plus en plus rare. Je leur ai envoyé des fleurs et un mot de remerciement bien senti pour leur appui, leur courage et leur honnêteté.

J'ai obtenu une avance de fonds de mon producteur pour l'écriture de la série, mais la page demeure blanche. Je suis devant mon ordi, mais ça tourne tellement dans ma tête que je suis inca- pable de me concentrer. Certains peuvent créer dans la douleur ou la perturbation ; pas moi. J'ai besoin de calme, de sérénité, de bonheur, de stimuli positifs. Peut-être cela explique-t-il que je ne serai jamais un artiste créateur d'« œuvres » ? Je m'en fous. J'as- sume. Mais la page demeure blanche, blanche, blancho...

Que se passera-t-il avec Naïma ?

—

Nous nous payons, Naïma et moi, un souper d'amoureux au restaurant japonais le Kaizen. Très cher, mais très bon. Je sais que je n'ai pas les moyens. Beaucoup de *small talk* jusqu'à ce que le champagne et le saké nous délient la langue, le cerveau et le cœur. Nous ne savons pas trop comment aborder la situation.

*Il sent que je lui cache quelque chose, mais il n'ose pas m'in- terroger. Comment vais-je lui dire ? Dois-je lui en parler ? Oui, mon petit clone, que me veux-tu ?*

« *Il l'a proclamé en pleine télé. Le sexe et l'amour, c'est deux choses. Tu ne devrais pas t'en faire comme ça...* »

*Je me sens coupable.*

« Il n'y a qu'une façon de se débarrasser de ta culpabilité. »

*Je sais. Je vais devoir plonger. Pourvu que l'alcool m'aide à bien m'exprimer. Vas-y ma belle !*

« J'ai lunché avec Patrick ce midi... »

Mon sashimi au saumon me roule dans la bouche, même s'il s'agit de mon plat préféré. Je la regarde. J'attends des explications.

*Malgré tout, je suis plutôt fière de moi. J'ai résisté à la tentation.*

« Il m'a invitée à aller chez lui après le repas, mais j'ai refusé. Il se sent perdu, seul. Son ex le travaille encore. Il ne voulait qu'un peu de compagnie. Je me sentais coupable de refuser. »

Bullshit !

« Je suis passée le voir en fin d'après-midi chez lui et il allait mieux. »

Je suis inquiet. Où veut-elle en venir ?

« Tu as encore envie de faire l'amour avec lui ?

— *Je le trouve attirant.*

— Ça n'a pas été un succès la première fois, tu ne t'es pas sentie bien, tu étais tellement trop stressée... Tu n'es même pas allée jusqu'au bout. Et, la deuxième fois, tu disais qu'il te caressait avec des mains vides ? Alors ?

— *C'est parce que j'ai besoin de ta permission. La culpabilité, ça gâche le plaisir !* »

Je suis sur le cul. Je ne l'avais pas vue venir, celle-là !

« Quoi ? Je n'ai pas de permission à te donner ! Tu décides ce que tu veux.

— *Justement. Ce que je veux, c'est ta permission. Je te le répète : je ne suis pas amoureuse de lui. Il aime encore son ex. Et moi, je suis amoureuse de toi. S'il y a quelqu'un qui peut comprendre ça, c'est bien toi !* »

Je suis estomaqué.

« Autrement dit, tu me demandes la permission de prendre un amant. Tu veux foutre notre vie en l'air juste pour une histoire de cul !

— *Je te demande la permission de vivre mon* trip *d'ado avant qu'il ne soit trop tard, c'est différent. Si je prends la peine de t'en parler, c'est justement parce que je ne veux pas tout foutre en l'air.*

— Et si tu tombes en amour avec lui ? »

*Je sais que ça n'arrivera pas. Mais comment l'en convaincre ?*

Après quelques heures de conversation pour sortir de l'impasse, nous nous retrouvons à la maison, au salon, verres de vin en main, chandelles allumées, amoureux.

Mon clone sent le besoin d'intervenir. En me bavant.

« Tu es baisé. La théorie à la télé, c'est bien beau, mais tu n'es pas capable de séparer le sexe de l'amour quand il s'agit de ton amoureuse. Tu es encore à l'âge des cavernes. »

Ma réplique est vive.

« Arrête de me harceler, je ne suis juste pas capable. »

Il rigole.

« L'âge te fragilise ? »

Il disparaît, me laissant en plan avec le problème.

« Je me sens incapable de vivre avec le fait que tu aies un amant.

— *Mais ça n'a rien à voir avec toi. Ça ne t'enlève rien.*

— Comment peux-tu savoir qu'à force de vous fréquenter, vous ne développerez pas un sentiment amoureux ? Je ne veux pas te perdre. Et ça, c'est bien plus important que la baise.

— *Si je ne vais pas au bout de ça, je serai frustrée et je t'en voudrai.*

— Autrement dit, d'un bord ou de l'autre, je suis fait ! Alors, qu'est-ce que je peux décider ?

— *Tu n'as qu'à dire oui. Après, je pourrai fermer les portes de mon adolescence et passer à autre chose. Tu me demandes bien d'accepter ta gestion financière, l'omniprésence de tes ex, tes capsules de provocation, tes croyances flyées sur les guérisseurs, etc. Tu crois que c'est facile ? Si je ne m'en tenais qu'à la raison, je fuirais immédiatement. Malgré tout ça, je t'aime et je veux continuer à être avec toi. »*

*Je me sens devenir très émotive. Je crois qu'il n'a pas encore compris vraiment tout ce que j'ai traversé, tout ce qui a composé ma vie à ce jour. Dois-je lui en faire revivre des moments exemplaires ? Moi qui me suis toujours tenue assez discrète sur ces événements... peut-être beaucoup plus par honte que par grandeur d'âme.*

*« Je ne pouvais rien faire, ni étudier, ni travailler, ni avoir des amis. Luc se croyait parfait, il avait toujours raison et tout devait se passer comme il le voulait. Mon ex est un être hermétique qu'on ne peut convaincre de rien, fermé à tout ce qu'il n'est pas. Pendant des années, j'ai étouffé en voulant faire ce que les autres attendaient de moi, mes parents, mes enfants, Luc, jusqu'au jour où la coupe a débordé. »*

*Je le regarde dans les yeux.*

*«Écoute-moi ! Tu verras ce que ma vie était devenue dans les dernières années. »*

*Et je lui raconte un incident particulièrement douloureux.*

—

*Je pliais une montagne de vêtements dans la cuisine. Je bouillais. C'était devenu presque quotidien. Là, c'était au sujet d'une histoire de bière dans un parc.*

Naïma me décrit une maison sombre à l'exception de quelques objets en verre soufflé qu'elle a créés. Peu de fenêtres. Beaucoup d'antiquités. Tout à l'opposé de mes goûts, moi qui aime la lumière, les aires ouvertes et la couleur. Une maison étouffante.

*Luc est passé à côté de moi sans me regarder, comme si je n'existais pas. Il me boudait ou m'ignorait quand il n'avait pas une vacherie à me lancer. Je l'ai apostrophé. Il sentait encore l'alcool.*

*« La police m'a ramené Phil tout à l'heure... Phil et ses bouteilles de bière.*

*— Comment ça ?*

*— Il s'était caché dans un parc pour en boire avec ses chums.*

— *Puis ? C'est pas la fin du monde. Ça arrive à tous les jeunes. Crisse que tu es fatigante !*

— *Il a douze ans. Douze ans ! Je veux que tu lui parles, moi il ne m'écoute plus. C'est bien beau de vouloir être ami avec ton gars, mais regarder des films d'action porno avec lui... là, tu dépasses les bornes.*

Je la regarde, étonné. J'ai du mal à concevoir qu'un père puisse se comporter ainsi. J'imagine que ça devait plutôt être des films avec des scènes d'amour au milieu de l'action, comme c'est si souvent le cas dans les films américains. Mais Naïma ne me laisse pas le temps de l'interroger à ce sujet.

*Les trois enfants sont entrés à ce moment-là, mais habitués à ce genre de scènes, ils sont demeurés à l'écart.*

« *Tu as assez* fucké *les enfants, tu n'as pas un crisse de mot à dire. Je me câlisse de ce que tu penses, alors ferme-la !*

— *Qui a porté Philippe ? Qui est resté à la maison avec lui, qui a insisté pour qu'il prenne des cours de piano, qu'il joue au hockey, au soccer, qu'il soit dans les scouts, qu'il fasse du ski, qui lui a toujours fait faire ses devoirs, qui lui a trouvé des petits emplois ? Je ne suis pas parfaite, mais j'ai fait mon possible. Il n'est pas question que Philippe s'en sorte comme ça.*

— *Je vais faire ce que je veux pis mêle-toi de tes câlisses d'affaires.* »

*Philippe souriait à ses deux sœurs, ravi que son père prenne sa défense. J'ai jeté les piles de vêtements par terre et bloqué Luc qui s'apprêtait à sortir de la cuisine. La colère m'aveuglait. Nous nous sommes toisés.*

« *Tu vas rester là jusqu'à ce qu'on règle la question. Ce n'est pas toi qui étais pris avec la police tout à l'heure...* »

*Il a tenté de me bousculer. J'ai résisté. Il m'a saisi le bras et l'a serré très fort. Avec son pied, il m'a écrasé le bout des orteils.*

« Fucking bitch ! *T'es juste une mouche à marde ! Reviens-en !* »

*Je me suis dégagée, j'ai replacé ma manche et me suis plantée encore une fois devant lui.*

« Non, je n'en reviendrai pas.

— Tu sais ce que les enfants m'ont dit hier ? Ils n'en peuvent plus de toi ! Ils t'haïssent ! Ils veulent que tu décâlisses ! Ils ne sont juste pas capables de te le dire en pleine face ! Si tu savais tout ce qu'ils disent sur toi... Mais bon, c'est pas ta faute si t'es comme ça, complètement nulle. Une ostie d'Arabe ! On devrait toutes vous retourner chez vous ! »

Le cliché raciste par excellence. Il a tourné les talons, marché sur les vêtements et est sorti. En apercevant les enfants, il leur a crié...

« Philippe, Laurence, occupez-vous d'Alexia, votre mère est pas en état, comme d'habitude. »

Je suis sidéré. Comment peut-on être aussi méchant ? Avec un être qu'on a aimé, qui a porté nos enfants ? J'ai toujours cru qu'il existe des gens doués pour aller chercher le pire en nous, mais je ne comprends toujours pas. Je regarde Naïma, elle pleure à cette évocation.

« Et tu as passé près de quinze ans avec cet homme-là ?

— Ce n'était pas comme ça au début. Le tout s'est gâté quand j'ai commencé à vouloir prendre des cours et travailler à l'extérieur... surtout travailler du verre soufflé. Quoi de plus inutile. Au lieu de prendre soin de lui, de la maison, des enfants puisqu'il était toujours trop occupé avec ses amis pour aider... Je n'avais pas d'argent, pas de soutien de ma mère et, surtout, je voulais garder mes enfants que j'adorais dans une famille unie. »

Mais ce soir-là, le pire était encore à venir. Luc est revenu à la maison tout mielleux, tout gentil. Il était allé boire avec ses chums et il avait envie de baiser... Je me préparais à aller me coucher. Il s'est approché de moi en souriant, les yeux remplis de désir. Il a mis ses mains sur mes hanches et a tenté de m'attirer à lui. Exaspérée, je l'ai repoussé.

« Tu es en manque tout d'un coup ? Décolle ! »

Il s'est approché à nouveau, m'a tassée dans un coin et a essayé de me caresser les seins. J'ai tenté de me dégager, mais de tout son poids, il m'a écrasée contre le mur. J'ai réussi à m'esquiver en lui serrant les couilles à le faire hurler de douleur et je me suis sauvée au salon. Il m'a rattrapée, m'a jetée sur le divan. Il a levé mon chandail, arraché mon soutien-gorge.

« Arrête ! Tu ne peux pas être brutal comme ça et penser que ça va me tenter de m'envoyer en l'air avec toi après. »

Il m'a attrapé un sein d'une main et m'a agrippé le cul de l'autre en commençant à se frotter sur moi.

« Laisse-toi faire ! Tu aimes ça, ma cochonne ! Si tu en baises d'autres, tu peux ben baiser avec moi. T'es ma femme ! »

Il a essayé de m'embrasser avec sa barbe en broussaille, très rude. J'ai détourné la tête, mais il a persisté. Je lui ai tiré les cheveux et j'ai fui vers la chambre. Les enfants, dissimulés derrière une porte, ne perdaient rien de la scène.

Encore une fois, il m'a rattrapée, m'a poussée sur le lit et s'est jeté sur moi. Je me suis débattue, mais il était plus fort que moi.

Je suis révolté. Une véritable scène de viol. Mais je ne veux pas interrompre son récit. En ce moment, je vis cette humiliation et cette rage avec elle.

« Je t'ai dit d'arrêter !

— Le cul, c'est juste du cul, puis on en a tous besoin. Fais pas ta vierge offensée. Baiser avec toi ou avec une autre, je m'en câlisse, c'est juste que toi tu as un ostie de beau cul pour une Arabe.

— Tu m'écœures ! Je vais te vomir dans la face. »

Je n'avais évidemment plus de soutien-gorge, mon chandail était à moitié déchiré. Il essayait de baisser ma petite culotte. Je me débattais comme une lionne. Il se frottait allègrement contre moi, me mordillait partout, me léchait, m'embrassait. Dégoûtée, j'ai fini par le mordre. Il a hurlé. Je me suis dégagée.

« Fucking bitch ! Crisse de vache ! T'es malade ! Va te faire soigner ! »

Je tentais de replacer mes vêtements, haletante, ébouriffée, je pleurais.

« Décrisse de ma chambre ! Tu coucheras dans la cave ! Je veux pu te voir dans mon lit. »

*Il m'a brutalement poussée vers la porte, m'a jetée dans le corridor, l'a refermée et verrouillée. Il a hurlé :*

*« Demain, je mets une pancarte à vendre. Tu vas payer ma maudite, tu vas perdre, je vais m'arranger pour que tu en arraches. Tu ne les auras plus, tes enfants, et ta belle maison, tu te la mettras dans le cul. »*

*J'étais effondrée. Je pleurais. Mes enfants étaient atterrés. Aucun n'osait s'approcher de moi. Après un certain temps, Laurence m'a prise dans ses bras. Alexia pleurait. Philippe était tiraillé. Il ne pouvait venir à ma rescousse sans trahir son père, mais je sentais tout son être horrifié par cette scène. Je savais dès ce moment qu'il n'y avait plus d'issue possible. En divorçant, qu'allaient devenir mes enfants pour qui j'avais tant enduré ? Qu'allais-je devenir moi-même ?*

*Je me répète. Je ne comprendrai jamais que quelqu'un puisse se conduire ainsi devant ses enfants envers la personne qu'il a aimée et épousée. Ça me dépasse totalement. Tant de violence...* Je demeure bouche bée.

*« Laurence est descendue avec moi dans la cave. Nous y avons aménagé un petit lit de fortune. J'ai dormi là avec ma fille pendant quelques mois jusqu'à ce que je vienne vivre avec toi. Pendant tout ce temps, Luc avait débranché les calorifères de ce qui était devenu ma chambre. Laurence a tellement bien pris soin de moi qu'elle s'est aliéné son père. Tout ça parce que je n'ai pas eu le courage de le quitter plus tôt en me disant que c'était pour les enfants... »*

Je la serre dans mes bras avec toute la tendresse et l'amour du monde.

—

Nous sommes maintenant dans le bain, notre cocon. Je sais pertinemment bien que lorsqu'un couple en arrive à de tels extrêmes, il existe une responsabilité partagée. Cela dit, rien n'excuse un tel comportement. Ce qui s'est passé et sa perception de ces événements demeureront toujours pour Naïma sa réalité. Et c'est l'horreur. Devant les enfants, en plus ! J'en suis bouleversé. Elle, si aimante, généreuse, soucieuse de ses enfants.

« *Et si le problème était ce "nous" ?*

— Je ne comprends pas. »

Elle sort du bain et revient avec son journal intime. Elle me tend une page, une page visiblement écrite récemment. Le « nous » étant le carcan familial. Je lis.

« *Ce "nous" qui nous hameçonne alors que nous sommes très jeunes, avec ces contes de fées en guise d'appât. Plus tard, l'endoctrinement se poursuit au nom de la morale et de sacro-saints principes sur la préservation de ce "nous", pour le meilleur et pour le pire.*

« *La vie exige, la vie nous presse, la vie nous bouscule et souvent fait en sorte que les composantes de ce "nous" évoluent dans des directions opposées et à des rythmes discordants. C'est ainsi que nous en arrivons à un douloureux constat : l'échec. Le "nous" de tout âge et de toute origine se trouve alors confronté à apprivoiser le "parfaitement imparfait", temps qui reste absent de tous les dictionnaires de conjugaisons.*

« *Les "nous" obligés peuvent détruire, tuer, épuiser, anéantir et amener l'être humain dans des contrées où il croyait impossible d'aller.*

« *Tous les "nous" ne sont pas des "nous" qui s'aiment.*

« *Le défi sera ardu pour les "nous" qui se reconstruiront parce que marqués par tant d'expériences passées.* »

Je ne peux qu'abonder dans son sens. Je lui rends son journal.

« *Peut-être que Luc et moi avons évolué différemment, de façon tellement opposée et conflictuelle que le carcan du "nous" a fini par aller chercher le pire en chacun de nous.* »

—

Plus tard. Dans notre chambre.

« *Pourquoi c'est toujours harmonieux autour de toi ? Avec tes enfants, tes ex... ? Qu'est-ce que je fais de pas correct ?*

— Ça n'a pas toujours été harmonieux. Dans certaines périodes, j'ai vécu des crises de couple très difficiles qui ont duré des années. Selon ma perception, nous avions tous les deux notre part de responsabilité. Nous traversions l'un et l'autre des phases de remise en question. Je n'ai pas échappé à la crise de la quarantaine, entre autres. Mais jamais, de mémoire d'homme, nous nous sommes détestés. Nous nous sommes toujours respectés, même dans les pires moments. Si j'ai atteint une certaine sérénité aujourd'hui, c'est à cause de tout ce que j'ai vécu et des efforts que j'y ai mis pour l'atteindre.

— *Ce n'est sûrement pas seulement ça. C'est davantage ta vision, ta confiance en la vie, ce que tu attires. On se sent tellement bien à tes côtés. On n'a pas peur que tu nous fasses mal.* »

*L'humour me revient.*

« *Si seulement tu avais déployé autant d'ardeur pour améliorer ta situation financière...*

— Je n'ai jamais vraiment voulu devenir riche. J'ai jamais voulu manquer d'argent non plus. J'ai vécu mes *trips* quand j'en ai eu. Mais ça n'a jamais été le plus important.

— *Qu'est-ce qui est le plus important pour toi maintenant ?* »

Je la force à me regarder dans les yeux.

« Mon bonheur est avec toi. Je suis convaincu que tu es douée pour le bonheur malgré ce que tu dis. Si seulement tu n'avais pas attendu aussi longtemps avant de te séparer au nom de ces principes... désuets, dépassés. »

Elle reste silencieuse.

« Qu'est-ce qui t'a finalement décidée à le quitter ?

— *Mon père !* »

Devant mon air surpris, elle sourit.

*J'étais en voiture en train d'argumenter encore une fois avec Luc au téléphone. J'en avais marre. J'ai fermé mon cellulaire et je l'ai lancé sur le siège du passager. J'étais d'humeur exécrable. Je venais encore une fois de vivre une nuit d'enfer couchée dans une cave froide, humide, enveloppée de manteaux.*

*Mon regard s'est accroché au cimetière qui défilait à droite. Celui où mon père était enterré. Je suis entrée dans une station-service dont la vue donnait sur toutes les tombes. Je suis sortie de ma voiture comme une furie et j'ai commencé à remplir mon réservoir moi-même. Le préposé est arrivé en courant.*

*« Madame, laissez-moi vous aider !*

*— Toi, écœure-moi pas ! Je suis capable toute seule ! »*

*Il s'est arrêté, interdit.*

Je visualise la scène et je rigole. Elle est très bien capable de colère, Naïma.

*Je lui ai désigné du doigt le cimetière de l'autre côté de la rue.*

*« As-tu vu le monde de l'autre côté ? »*

*Il m'a regardée sans comprendre.*

*« Mon père est enterré là. Il n'en a plus de vie, lui ! Moi, j'en ai une et je suis en train de la gaspiller avec celle de mes enfants. Il est temps que j'allume. »*

J'éclate de rire à cette évocation. Elle aussi. Nous nous serrons l'un contre l'autre.

*« C'est à ce moment que tous mes repères se sont effondrés. Depuis, je fouille dans les décombres pour retrouver l'intuition que j'ai ensevelie il y a tellement longtemps. »*

# LA SOLUTION ?

9

Je travaille à l'ordi du mieux que je peux. En fait, j'attends Naïma. Comme tous les soirs, j'ai hâte qu'elle rentre. J'ai hâte de la revoir, qu'elle me raconte sa journée, qu'on planifie notre fin de semaine. Je pense à elle. Le téléphone sonne. C'est elle. Combien de fois cela s'est-il produit depuis que nous nous connaissons? Comme si une ligne télépathique nous unissait.

« *Patrick m'a téléphoné tout à l'heure. Il ne va pas bien. Je vais souper avec lui.* »

Il faut croire que la ligne télépathique ne fonctionne pas dans la bonne direction. Merde. Elle sent mon hésitation.

« Ok.

— *Ne t'inquiète pas. Je n'ai pas ta permission de baiser avec lui. M'aimes-tu?*

— Oh oui! »

Je l'entends rire. Je suis heureux de l'entendre rire. Mais...

« *Moi plus!* »

Je raccroche. Je suis furieux. Je me lève et je lance mes papiers à l'autre bout du bureau.

Je veux tellement lui faire plaisir... tout en la conservant. Je ne veux pas être malheureux non plus. La situation perdure. Nous n'avons pas trouvé d'accommodement raisonnable malgré toute notre bonne volonté et notre amour réciproque. Après tout ce qu'elle a vécu, devrais-je céder? Quel en serait le prix?

Prise 3. Il est tard. La maison est calme. Les enfants dorment. Seul au salon, j'attends son retour. Je l'entends monter l'escalier d'un pas enjoué. Je ne bronche pas. Elle apparaît, rayonnante dans l'entrée du salon. Elle vient aussitôt s'asseoir près de moi, amoureuse.

« *Je t'avais dit de ne pas t'inquiéter. Il ne s'est rien passé.*

— Qu'avez-vous fait?

— *Son ex lui fait des misères. On a soupé, jasé, joué au* pool.

— Et il ne s'est pas essayé?

— *Ferais-tu une fixation là-dessus? Comme si tout à coup baiser était devenu la chose la plus importante de la vie?* »

Son ironie me touche. Elle le sent. Elle enchaîne sur un ton plus sérieux.

« *À peine. Mais je n'ai pas voulu.*

— Et tu veux me faire croire qu'il s'agit juste d'une histoire de cul entre vous deux? Quand tu viens de passer six heures avec lui à jaser et à jouer?

— *Je t'ai aussi dit que nous avions des intérêts communs.*

— Tu ne serais pas un peu naïve? »

Elle sourit, séductrice.

« *Tu ne m'as pas déjà dit que c'était une qualité?* »

—

J'ai tenté de joindre France à plusieurs reprises. J'avais besoin de me confier. Elle a souvent une façon très différente de voir les problèmes, et ses solutions sont originales. Pas de succès cette fois-ci. Que des boîtes vocales à l'écoute. J'ai fini par obtenir son mari au bout du fil. Elle est quelque part dans une jungle en Amérique du Sud pour un temps indéterminé. Impossible de la contacter. Me voilà donc livré à moi-même. Et pourquoi pas ? C'est mon problème et c'est à moi de trouver des solutions et de prendre les décisions qui s'imposent. Je sens le besoin de me recueillir.

Je suis assis, seul, dans une église complètement vide. Pour la première fois depuis de nombreuses années. Je suis concentré, torturé même, en proie à une profonde réflexion. Je vois mon clone s'approcher. Il affiche un air baveux.

« Qu'est-ce que tu fais ici, toi ?

— Je suis venu réfléchir, demander de l'aide. »

Il éclate de rire.

« À qui ?

— À la vie, à Dieu, à ceux qui sont de l'autre bord, je ne sais pas, moi...

—– Tu veux que Patrick disparaisse pour pas qu'elle aille fourrer ailleurs ?

— Non !

— Penses-tu que s'il s'évaporait, ça réglerait le problème ?

— Non !

— Tu fais du progrès. Que demandes-tu ?

— De ne pas la perdre.

— L'aimes-tu assez pour ça ?

— Oh oui !

— Alors tu sais ce que tu as à faire.

— Non.

- - Oh oui ! Tu es assez fort pour ça. »

Là-dessus, il sort. Je ferme les yeux et je continue à réfléchir, à prier et à demander conseil. Même si je n'appartiens à aucune religion organisée, je crois à l'existence d'une autre vie, invisible. Je crois qu'il faut remercier quand ça va bien, demander de l'aide quand ça va mal, et s'aider soi-même en restant en étroite et constante communication avec l'au-delà.

*La boutique est fermée. Toutes les lumières sont allumées et confèrent des reflets multicolores, presque ensoleillés, à* mon visage. Je suis étendue par terre, en proie à une profonde réflexion. Cette fois-ci, j'ai demandé à mon clone de me tenir compagnie. Il est irrité.

« Tu te sens bien, là ? »

Je suis tiraillée, découragée de moi-même.

« J'ai besoin d'aide.

— De qui ?

— Je ne le sais pas. De toi, d'en haut... d'Allah !

— Tu veux une solution pour pouvoir aller jusqu'au bout avec Patrick sans rien détruire avec Michel ? »

Je pousse un cri du cœur.

« Oui !

— Parles-en à ta grande fille !

— Quoi ? »

Je me retrouve subitement seule sans avoir eu de réponse à ma dernière question. Mais pourquoi en parler à Laurence ? Que va-t-elle penser de moi ? Comment Michel réagirait-il ? Cela ne la concerne pas. Je ne comprends pas.

—

Je ne sais pas pourquoi, mais j'ai tout raconté à Laurence. Elle a toujours été ma confidente. Elle m'a toujours soutenue dans l'adversité. Elle sentait depuis quelques semaines que quelque chose clochait entre Michel et moi. Je lui devais la vérité. Une autre impulsion ? Peut-être. Mais c'est fait. J'ai choisi ce moment parce qu'Alexia était dans la cour et s'amusait avec les enfants de Bernard.

Laurence se tient debout devant moi, outrée. Michel est étonné que j'aie osé me confier à ma fille.

« C'est dégueulasse ce que tu as fait ! »

Elle désigne Michel.

« Il t'aime ! Tu n'as même pas fait ça à papa et tu l'as fait à lui ? »

Je m'attendais à ce genre de réaction de sa part. Je me dois d'aller plus loin pour que Laurence et Michel comprennent mieux la situation.

« Si j'invitais Patrick à venir manger avec nous ?... J'aimerais ça connaître votre opinion sur lui. »

Est-ce que je dérape ?

« Maman, qu'est-ce qui t'arrive ? Moi, je ne serai pas là, c'est sûr. Il existe une seule solution à ton problème, ne plus jamais revoir cet homme-là ! »

Laurence regarde Michel, cherchant une réaction de colère ou de dégoût. Il s'adresse directement à ma fille, avec douceur.

« Nous traversons une période difficile, la mère et moi. Je veux juste te dire que je l'aime, que c'est une femme magnifique et que je serai toujours là pour elle. Dis-toi bien qu'elle est en train de remonter une pente bien difficile et elle a besoin de ton amour. »

Je suis profondément émue par l'attitude et le ton de Michel. Laurence me regarde. Elle est visiblement dépassée. Elle se remet le nez dans ses livres, incapable de comprendre et d'absorber ce qui se passe.

« C'est dégueu... »

Nous quittons sa chambre, Michel et moi. Laurence m'interpelle alors.

« Maman ! »

Je m'arrête. Je la regarde. Elle me lance un timide « je t'aime ». J'ai eu raison de lui en parler. Je sais maintenant que j'ai deux personnes qui m'aiment inconditionnellement. Quel réconfort, mais aussi quelle responsabilité !

—

Nous nous retrouvons encore une fois au lit en grande conversation. Parfois dans le bain, parfois dans le lit. Question d'intimité. Je la regarde... longtemps, mesurant bien la portée de ce que je m'apprête à lui dévoiler. Inquiète, elle soutient mon regard.

« Je suis consciente que si tu me demandais de te donner une permission du genre, je ne suis pas du tout sûre que...

— Moi, je sais. Ce serait un "non carré". Mais, nous n'avons pas vécu la même vie. »

Je me résigne.

« Ok, est-ce qu'on peut faire un *deal*?

— *Ça dépend.*

— Je te donne ma permission, puisque c'est ça dont tu as tellement besoin. Mais peux-tu rencontrer ton Patrick de jour plutôt que de soir? Je sais que ça peut avoir l'air ridicule, mais ça serait plus facile à vivre pour moi. »

*Je réalise pleinement l'ampleur de ma demande. Je ne peux qu'accéder.*

« *Tu es capable de composer avec ça?* »

*Il acquiesce.*

« *Deal!* »

*Il m'embrasse et me serre dans ses bras.*

« *Es-tu prêt à le rencontrer?* »

J'hésite.

« Tu ne lâches pas le morceau, toi, hein? »

Je finis par sourire. Tant qu'à y être...

« Peut-être qu'après m'avoir rencontré, il aura la décence de te laisser tranquille. »

—

*Cette dernière conversation m'a énormément rassurée. Sur notre relation. Sur moi. Sur Michel. Son accord est-il dû à sa faiblesse? À sa force de caractère? Je sais qu'il a réfléchi lon-guement sur lui-même et sur l'avenir de notre couple avant de prendre sa décision. J'opterais pour une force de caractère peu commune. Je suis chanceuse qu'il m'aime à ce point. Quel contraste avec ma vie précédente!*

*Forte de cette victoire, j'ai pris rendez-vous, de jour, avec Patrick. J'arrive devant son immeuble. Je gare la voiture. Mon cœur bat très fort, mais je suis enfin en paix avec moi-même, ma liberté et Michel. Mon clone veut intervenir, mais mes oreilles sont bouchées. Je monte chez lui. Il ouvre, étonné et ravi de me voir là encore une fois.*

« *Je peux entrer?*

*— Oui, oui, bien sûr. »*

—

*Nous sommes assis face à face, un verre de vin blanc à la main. Je souris, sûre de moi.*

*« Je suis venue t'inviter à mon vernissage la semaine prochaine. »*

*Enchanté, il accepte. J'ajoute, curieuse de sa réaction, une toute petite phrase.*

*« Michel sera présent et nous irons tous les trois prendre une bouchée après. »*

*Je décèle de la panique dans ses yeux. Il déglutit. Ce n'est pas tout. J'enchaîne.*

*« J'ai obtenu l'autorisation de Michel de baiser avec toi. »*

*Il ne comprend plus rien. Mais la perspective de l'après-midi qui s'annonce ramène son sourire. Je ne le quitte pas des yeux. Je le sens intimidé par mon regard. Il se demande quelle autre surprise je lui réserve. Je le laisse poireauter. Il est tellement beau.*

—

Je suis à nouveau paralysé. Là, ça devient du pur masochisme. Je ne me croyais pas ce talent. Il est seize heures. Pas de nouvelles de Naïma depuis l'heure du midi. Je ne peux rien lui reprocher. Je lui ai donné mon autorisation. Elle ne me l'a pas dit, mais, je le sens, elle est avec lui. Je suis toujours incapable de la joindre.

Ai-je surestimé mes forces ? Ou n'était-ce qu'une faiblesse de dépendant affectif ? Comment assumer en étant heureux pour moi et pour elle ? Je n'ai pas la clé.

Dix-sept heures. Là voilà de retour. Radieuse. Les joues rosies par… le soleil ou une bonne et longue baise torride.

*« Ma patronne m'a donné congé. Je savais que tu travaillais sur tes textes cet après-midi. J'ai téléphoné à Patrick, il était libre et nous avons passé l'après-midi ensemble. Et non, je n'ai pas baisé avec lui. »*

Ma capsule sur l'éloge du mensonge en amour me revient tel un boomerang. Me ment-elle pour ne pas me faire de mal, sachant que ma permission a été obtenue à l'arraché ? Pourrais-je lui en vouloir dans ce cas ? Je ne sais plus. Je suis confronté à moi-même, ma philosophie, mes émotions, la théorie, la pratique. Je reprends vie au souper en sa compagnie. Je la vois sourire, s'affairer avec moi dans la préparation du repas, heureuse.

*Je perçois une certaine distance qu'il ne peut camoufler. Visiblement, il ne me croit pas. La confiance tient en peu de choses et une fois qu'elle disparaît... Que puis-je faire ? Ses sourires sont tristes.*

Je vais mettre le paquet pour son vernissage. Cette pensée me stimule. Je l'aime et je l'aime heureuse. Elle me fait du bien. On verra bien... plus tard.

—

À l'insu de Naïma, j'ai contacté la propriétaire de la boutique. Avec son aide et sa complicité, j'ai loué la galerie d'art la plus *hot* en ville pour son vernissage, qui devait avoir lieu à son atelier. Naïma a remis sa liste d'invités à sa patronne sans se douter du complot. Pour ma part, j'ai contacté tous les gens de mon milieu que je connais ainsi que mes amis et membres de ma famille en leur demandant de respecter la consigne du silence pour l'effet de surprise.

Naïma a bénéficié de quelques jours de congé avant le vernissage, histoire de bien préparer la soirée. J'ai dû déployer toutes les ruses imaginables pour la dissuader d'aller elle-même superviser la présentation de ses œuvres. Toutes les techniques répertoriées lors de la recherche sur ma capsule vantant le mensonge ont été utilisées à de bonnes fins. Sa sœur aînée, Aïcha, avec qui je m'entends de mieux en mieux, a accepté avec plaisir de jouer le jeu et de retenir Naïma tout l'après-midi du grand jour. Fatima, sa mère, refuse toute communication. Elle a exigé au début de l'été de voir ses petites-filles un après-midi par quinzaine, ce que nous avons accepté dans l'espoir de rétablir un dialogue. En vain.

Naïma est revenue à la maison, toute fébrile, nerveuse, un vrai paquet de nerfs, à vrai dire. Le trac, phénomène que je ne connais que trop bien. Il s'agit de son premier vernissage.

Dans la voiture, elle m'indique le chemin le plus rapide pour se rendre à la boutique. Je le connais par cœur, évidemment. Je prétexte une course urgente pour dévier vers la galerie. Elle est furieuse. Elle bougonne tout au long du trajet. Je garde un silence impénétrable.

J'arrive enfin devant le lieu de prédilection. J'ai demandé qu'on installe un tapis rouge devant la galerie. Je m'arrête face à l'entrée. Un valet vient lui ouvrir la portière. Il y a déjà beaucoup de monde à l'intérieur et d'autres qui arrivent. Naïma me regarde. Elle commence à allumer. Elle sort. Quelques cameramen et photographes se précipitent selon une mise en scène bien orchestrée. Nous entrons. Une salve d'applaudissements accueille son arrivée.

Plusieurs célébrités du monde artistique. Des amis, dont Bianca et Louise qui m'ont donné un sérieux coup de main dans l'organisation de cette soirée. De toute évidence, elles ne me tiennent pas rigueur de ma dernière capsule. Aussi présentes, mes filles et leurs conjoints, Élizabeth, Caroline et Bernard. Et, le plus important encore pour Naïma, ses sœurs, son frère et même sa mère ont tenu à être présents.

Naïma me remercie, les larmes aux yeux. Ses œuvres ont été superbement mises en valeur grâce à l'aide d'un ami, directeur artistique, qui a pris plaisir à créer l'ambiance et les arrangements d'éclairage et de présentation d'œuvres audacieuses, colorées, imaginatives.

Naïma est assaillie de toutes parts par des gens venus la féliciter. Je l'observe parler à tout le monde, heureuse, comblée. Je suis fier de moi.

« Belle façon d'éclipser son ami Patrick, non?

— Oui, mon petit clone. Ce n'était pas le but, mais tant mieux si c'est le cas. Je n'ai pas de problème avec ça. »

Je tente une percée chez les membres de sa famille. Je suis bien accueilli, sauf par Fatima, dont la froideur résiste à ma tentative. Naïma vient me rejoindre.

*Je flotte littéralement. Je n'ai rien soupçonné. Un rêve. Je le regarde à l'occasion. Il sourit tout le temps, heureux. La seule ombre au tableau : ma mère. Elle réussit à ternir cette soirée en apprenant l'absence de mes enfants, retenus chez leur père pour un soi-disant souper familial important. Elle s'empresse aussitôt de partir. Par ailleurs, je sens mes sœurs et mon frère fiers de moi. Quel réconfort !*

*« Ne t'en fais pas ! Tu connais maman... »*

*J'acquiesce. Merci, Aïcha. Elle a senti que maman m'a blessée. Je retrouve mon sourire.*

*« Comme ça, tu faisais partie du complot ? Je ne me suis doutée de rien ! »*

*Elle éclate de rire.*

*« Michel te fait beaucoup de bien. Je suis rassurée. »*

*Salima et Selim semblent partager l'opinion d'Aïcha. Oui, il me fait du bien.*

*Oups ! Un coup au cœur ! Je l'avais oublié, celui-là. Patrick vient d'entrer. J'admire son cran, mais j'aurais préféré qu'il s'abstienne ce soir. Il me repère rapidement. Je m'excuse auprès de ma famille et je rejoins Michel pour faire les présentations. À mon air, il a tout de suite compris de qui il s'agissait. Patrick s'approche. Je ne peux quand même pas l'embrasser devant Michel.*

*« Michel, Patrick ! »*

*Les deux hommes se serrent la main... affichant le sourire de circonstance. Très polis. Très corrects. Patrick ouvre le bal.*

*« J'ai beaucoup entendu parler de toi.*

*— Il semblerait que nous partagions les mêmes goûts. »*

*Je veux fondre.*

—

*Quelques heures plus tard. Un petit restaurant branché, mais presque vide à cette heure tardive. Michel et Patrick m'accom-*

*pagnent à une table. Michel est le premier à s'asseoir. Patrick
choisit rapidement la chaise devant la sienne. Je suis extrêmement mal à l'aise d'avoir provoqué cette... confrontation. Je m'excuse et m'empresse vers les toilettes.*

*Je suis paniquée. Je me tiens près de la porte et je les vois
tous les deux engagés dans une conversation en apparence anodine. Je me regarde dans le miroir.*

*« C'est quoi l'idée ? Si je pouvais juste fuir par la porte d'en
arrière... C'est quoi l'idée ? C'est quoi l'idée ?*

Je me sens très à l'aise. Peut-être à cause du succès spectaculaire de la soirée. Tant mieux. Je regarde attentivement
ce Patrick. Lui de même. Il est temps de passer aux choses
sérieuses... tout en souriant.

« À une autre époque, je t'aurais provoqué en duel ou je
t'aurais sauté dessus. Mais nous n'en sommes plus là. »

Il me renvoie mon sourire.

« Je m'en réjouis ! »

Je tiens à conserver mon calme malgré l'arrogance que je
décèle chez lui.

« Tu es chirurgien, tu es beau, tu es jeune, en tout cas plus que
moi, tu peux avoir toutes les filles que tu veux. Moi, j'ai soixante
ans et je suis en amour avec Naïma ! Qu'est-ce que tu cherches ? »

Il a un petit sourire quasi insolent.

« Naïma m'attire physiquement, et il faut croire que c'est
réciproque. Si tu as peur de la perdre à ce point-là, c'est peut-
être qu'elle ne t'aime pas autant que tu penses !

– – Réalises-tu à quel stress ton égoïsme la soumet, dans
quelle situation impossible tu la mets ? »

Là, il éclate carrément de rire. Je dois garder mon calme. Il
commence à m'agacer sérieusement.

« Ce n'est pas plutôt toi qui es dans cet état ? »

Il change de ton. Je devine qu'il commence à être irrité à son
tour par la tournure de l'échange.

« Chacun est responsable de son bonheur ou de son malheur. En fait, son erreur, ce fut de t'en parler. Nous aurions

pu baiser ensemble, ni vu ni connu. Ça ne t'aurait pas fait de mal... »

Il ironise maintenant.

« Il me semble que j'ai déjà entendu ce raisonnement quelque part... Mais peut-être que dans le fond, c'est parce que je peux lui donner le cul que tu n'es pas en mesure de lui offrir. *No offense!* C'est juste une question d'âge! »

Je suis bon. Je garde mon calme. Cependant, je peux être vache à mon tour.

« Je commence à comprendre pourquoi ton ex t'a quitté. »

Naïma revient à la table. Elle s'assoit, nous souriant, et enfile son verre de vin d'un trait. Je la connais, elle est très stressée devant ce combat de coqs. En sa présence, Patrick redevient plaisant et gentil.

« Écoute, ce n'est pas compliqué. Je suis en deuil de mon ex... »

Je commence à connaître la chanson.

« ... et l'occasion s'est présentée. »

Il regarde Naïma avec désir et me fixe. Un peu baveux, le monsieur...

« Tu peux comprendre ça?

— Même si ça fait mal à quelqu'un d'autre?

— Je n'ai pas à gérer les émotions des autres. J'ai assez des miennes. »

Il me lance insidieusement:

« Ça ne t'est jamais arrivé à toi?

— Avec l'âge, on apprend à faire attention aux gens qui nous entourent. »

Il rit un peu trop fort.

« Ah non, tu vas pas commencer à me faire la morale? J'aurais dû m'y attendre de ta part. »

Il sent au regard de Naïma qu'il est allé un peu trop loin et qu'il est en train de perdre le match. Sa frustration monte d'un cran. Je ne bronche pas et je continue à le fixer. J'ai maintenant l'avantage. Je ne peux cependant pas me permettre le moindre faux pas. Il tente de blaguer.

« Je suppose que ton altruisme permettra à Naïma qu'on se voie demain au lunch ?

— *Encore faudrait-il que je le veuille !* »

Cette réponse sèche de Naïma clôt le débat. Il encaisse.

« Oᴋ ! J'ai compris ! »

~

En sortant du restaurant, nous nous dirigeons vers notre voiture alors que Patrick s'éloigne dans la direction opposée. Nous nous enlaçons et nous nous embrassons, le cœur léger.

*« L'autre soir, tu ne m'as pas crue lorsque je t'ai dit que nous n'avions pas baisé. Tu avais tort. Je lui ai dit que je ne voulais pas gaspiller mon bonheur et ma sérénité pour ça, que nous ne baiserions plus ensemble. S'il voulait que nous soyons des amis, c'était parfait. Sinon, nous arrêtions tout ça là. Il a été pris de court. Je lui ai demandé ce qu'il décidait. Il a balbutié. Mais avait-il le choix dans les circonstances ? »*

J'arrête Michel.

*« Je t'aime. »*

Elle m'enlace au beau milieu de la rue et m'embrasse longuement. Aurais-je gagné cette bataille ? Y aura-t-il récidive avec d'autres malgré ses dénégations ? Je n'en sais rien. Mais ce soir, je suis rassuré.

~

Nous avons passé une nuit sur l'adrénaline. Peu de sommeil. Beaucoup de paroles. Collés l'un contre l'autre. Patrick hors champ. Un bel avenir qui se dessine.

Le lendemain, nous prenons un verre sur une terrasse dans le Vieux-Montréal avec France, qui repart en mission dès samedi pour l'Amérique du Sud. D'autres dispensaires à ouvrir dans des endroits pauvres et isolés. J'admire son courage et sa détermination. Les sujets de conversation tournent autour de Naïma et de moi.

*« Je suis découragée. J'ai presque tout vendu hier soir. »*

Je suis étonné.

« Pourquoi découragée ?

— *Je m'apprête à retourner aux études alors que je devrais intensifier ma production à l'atelier. Comment vais-je avoir le temps de m'occuper de toi et des enfants ?*

— Je te le répète. Je vais t'aider. »

France nous observe, le sourire aux lèvres.

« Vous avez l'air bien, tous les deux. »

*Elle est au courant de l'épisode « Patrick ». Nous lui en avons parlé ouvertement. Elle s'est bien amusée à nos dépens.*

*« Tu sais, depuis que j'ai eu la permission de Michel, ça me tente beaucoup moins, en fait, même plus du tout. J'avais peur de me retrouver à nouveau emprisonnée dans une relation. J'ignorais que Michel m'aimait autant.*

— À ma façon, j'ai beaucoup prié pour elle, pour moi, pour que tout se termine bien pour tout le monde. Le nuage se dissipe, enfin j'espère. »

France continue toujours à rigoler. Elle s'adresse à Naïma.

« Il a passé le test ?

— *Ouais, si on veut !*

— Tu avais raison de dire que ça serait difficile, mais je crois que nous sommes passés au travers. »

*Une question me démange même si je demeure très sceptique sur les dons de France. Au diable la gêne, je la pose.*

*« Est-ce que ça durera longtemps, nous deux ? »*

*Elle éclate de rire. Une brève pause.*

*« Ça dépend de vous. Mais pour l'instant, je vous vois encore ensemble dans cinq ans. »*

Tout à coup, le regard de France se pose tout à côté de mon visage. Je la connais bien. Elle a « vu » quelque chose. Je n'aime pas ça.

« Je n'aime pas ça quand tu fixes comme ça. Qu'est-ce qui va se passer encore ?

— Rien. »

Il n'y a pas moyen d'en tirer davantage. Dommage. J'aime bien être prévenu de ce qui m'attend. Rien de positif, selon ce que je perçois.

# L'OFFENSIVE

# 10

Je suis catastrophée. J'ai reçu une lettre. En pleurant, j'ai téléphoné à Michel qui s'est rué à la boutique. Inquiet. Il entre en coup de vent.

« Qu'est-ce qu'il y a ? »

Je lui tends le document.

« Une lettre d'avocat. »

Je parcours rapidement les deux pages pendant que Naïma m'explique.

« Luc m'enjoint de ne pas aller chercher les enfants vendredi... il les garde... jusqu'à ce qu'un juge ait statué...

— Mais pourquoi ?

— Il nous accuse de faire partie d'une secte, il mélange tout, tes propos à la télé, les guérisseurs, la prostitution, le sexe... ce qu'Alexia lui raconte pour bien se faire voir de son père... Il dit que... ce n'est pas un environnement sain pour ses enfants... Mais le pire... »

Je m'arrête tellement ce qui suit me chavire et me révolte.

« *Luc te soupçonne d'attouchements sexuels sur Laurence et Alexia !* »

Je suis bouche bée, sonné, pétrifié, horrifié...

« *À moins que je me sépare de toi... et que, idéalement, je déménage sur la Rive-Nord pour le bien-être de ses petites chéries. Avec une copie à ma mère !*

— Je ne comprends pas.

— *Je connais mes filles, elles n'auraient jamais pu inventer une pareille histoire.* »

Qu'insinue-t-elle ?

« Me soupçonnes-tu de...

— *Oh non ! Pas du tout. Mais comment a-t-il pu formuler une telle accusation ?*

— A-t-il alerté la DPJ ?

— *Aucune allusion dans sa lettre.* »

Je réfléchis à vitesse grand V.

« Il faut d'abord parler aux filles. Et il n'a pas le droit de retenir tes enfants comme ça sans un jugement de la cour. »

Elle acquiesce.

⏤

*Le trajet a été silencieux. J'ai accepté que Michel m'accompagne à la condition expresse qu'il reste dans la voiture. J'ai prévenu Luc de ma visite. Je me gare et marche vers l'entrée de la maison où il m'attend de pied ferme. Je bous de rage, contenue pour l'instant. Il me bloque l'accès et je ne vois pas les enfants.*

« *Je veux voir mes filles.*

— *Absolument pas question.*

— *Tu ne peux pas m'interdire de voir MES enfants.*

— *Oh que oui ! Jusqu'au jugement de la cour.* »

*J'hésite. Est-ce que je fais irruption dans la maison en forçant la porte ? Est-ce que je crie pour alerter mes filles ? Est-ce que je demande à Michel d'intervenir ? J'essaie, en vain, de me calmer pour ne pas faire de geste irréfléchi.*

« *D'accord ! Je veux qu'elles soient prêtes demain, vendredi,
à quatre heures quand je viendrai les chercher. Est-ce que je me
fais bien comprendre ?*

— *Elles ne seront pas là.*

— *Tu veux jouer ce jeu-là ? Très bien.* »

*Je le toise pendant plusieurs secondes. Il jette un œil vers la
voiture où Michel m'attend. Je le sens sur ses gardes. Je retourne
vers mon véhicule. Il m'observe, intrigué, j'en suis convaincue.*

—

De retour à la maison, je m'oppose à la volonté de Naïma
d'aller voir sa mère qui l'a convoquée chez elle. Du haut de sa
vérité de juge. Pour comparaître. Mais je réalise que Naïma
y tient pour régler ses comptes une fois pour toutes. Est-ce
une bonne idée de l'affronter à chaud, sous le coup d'émotions
extrêmes ? J'en doute. Mais, devant sa détermination, je décide
de l'accompagner.

Je me rends compte que Fatima est aussi catastrophée que
nous. Peut-être y aura-t-il moyen de dialoguer ? Elle m'ignore
totalement. Je décide de demeurer discret. Elle attaque de
front.

« *Tu sais que je n'ai jamais aimé ton Luc. Tu as commis
une erreur magistrale en l'épousant. Mais là, l'accusation est
grave.* »

*Je bondis.*

« *Si tu avais pris la peine de connaître Michel, tu ne te pose-
rais même pas cette question.* »

Je contiens ma colère pour l'instant. Fatima continue à ne
s'adresser qu'à Naïma.

« *Tu n'as plus le choix. Tes enfants ne peuvent pas se passer
de leur mère avec le père qu'elles ont. C'est une priorité absolue.
Tu sais ce qu'il te reste à faire.* »

Fatima demande alors à sa fille de la suivre à l'extérieur,
hors de ma portée. Naïma me consulte du regard. La décision
lui appartient. Je ferai ce qu'elle veut.

—

*Nous nous sommes isolées dans le jardin. Michel nous observe de la fenêtre de la maison. J'ouvre le bal.*

*« Mes filles ont-elles déjà fait allusion à quoi que ce soit du genre ? À toi, leur grand-mère ? »*

*Elle est forcée d'avouer.*

*« Non.*

*— Pourquoi avec toi, j'ai toujours l'impression d'être coupable de quelque chose ? Sais-tu que je n'ai aucun souvenir de toi me prenant dans tes bras pour me consoler ou me bercer ?*

*— Toujours aussi paranoïaque ? Je t'ai toujours aimée. Je me suis toujours souciée de toi, de ton bonheur, de celui de tes enfants, même si parfois c'était difficile. Je ne savais plus comment te prendre. »*

*Je ne bronche pas.*

*« Oui, probablement. Moi aussi, j'ai fait de mon mieux avec mes trois enfants, et regarde le résultat. J'en ai quand même perdu un. Peut-être que j'étais trop exigeante avec lui. Puis, avec le recul, je réalise que, quand je n'en pouvais plus avec Luc, je me défoulais inconsciemment sur Philippe alors qu'il n'avait rien à voir là-dedans. Je me suis plantée quelque part moi aussi. »*

*Ma mère se raidit.*

*« Je t'en ai longtemps voulu. Tu n'as aucune idée de tout ce que j'ai fait pour pouvoir sentir que tu m'aimais, moi aussi, que tu étais fière de moi. Aujourd'hui, je ne t'en veux plus, même si ça me fait encore mal. »*

*Elle verse dans l'ironie.*

*« C'est gentil à toi !*

*— Je vais te poser une dernière question. Est-ce que de t'acharner et de t'apitoyer sur mes problèmes ne te sert pas d'écran pour éviter de te remettre en question ? »*

*Elle est troublée et tente de faire dévier la conversation.*

*« Que vas-tu faire avec Luc ? Avec ton Michel ? Pour tes enfants ?*

— À partir de maintenant, maman, ça ne regarde que moi. »

*Je m'approche et je l'embrasse sur le front. Je sens qu'elle voudrait me rendre la pareille, mais qu'elle en est incapable, paralysée. Je suis soulagée. Et fière de moi. Je n'ai pas perdu le contrôle. J'ai été ferme. Tout en étant respectueuse.*

—

Nous sommes de retour à la maison. Gonflée à bloc, Naïma marche de long en large, tourne en rond. Je sens le piège se refermer sur moi. Je déteste me retrouver sur les lignes de côté plutôt qu'au cœur de l'action.

« Allons voir Caroline. »

*J'hésite à recourir à son ex dans une telle situation, mais peut-être a-t-il raison. Elle y verra probablement plus clair que nous dans cette sordide histoire.*

—

Caro nous reçoit immédiatement à son bureau d'avocate. Je lui ai déjà communiqué par téléphone la nature du problème. Il nous faut récupérer les enfants et tirer cette histoire au clair. Déjà au courant de la saga du divorce, elle jouit à l'avance du combat à venir.

« Il n'a pas le droit de retenir Laurence et Alexia. Laissez-moi lui répondre et vous irez chercher les enfants vendredi comme prévu.

— Qu'est-ce que tu vas faire ?

— *Il est très intelligent, mais c'est un menteur hors pair.*

— Je vais lui parler de Michel... »

Elle éclate de rire.

« ... en toute connaissance de cause. Ça ne vous coûtera pas une cenne et, de plus, ça va me faire plaisir. J'appelle mon huissier. »

—

Nous passons une nuit d'enfer. J'entrevois sérieusement la possibilité que Naïma me quitte. Je la comprendrais. Je tourne et retourne dans ma tête la situation problématique. J'ai cependant confiance en Caroline, mais est-ce que ce sera suffisant ? Et pour combien de temps ?

Je jongle avec une idée qui me trotte dans la tête depuis déjà de nombreuses heures sans avoir eu la force de la formuler. Il est quatre heures du matin. Nous n'avons pas fermé l'œil. Naïma est couchée sur le dos, les yeux ouverts, raide comme une barre. Je me penche vers elle. Il faut que j'en aie le cœur net. Je me risque.

« Si tu veux qu'on se sépare pour protéger tes enfants, je comprendrai.

— *Je veux aller au fond de cette histoire. Même si je cédais à son chantage maintenant, ce sera toujours à recommencer. Je reste avec toi. Je l'ai quitté pour reprendre le contrôle de ma vie. C'est à moi de me tenir debout et de faire valoir mes points. Sinon, je n'aurai rien accompli.* »

La fermeté de son ton ne laisse planer aucun doute. Je suis à la fois rassuré et toujours inquiet.

—

Nous attendons impatiemment le retour de mission de Caroline. Dès son arrivée, nous la bombardons de questions. Elle se fait un plaisir de tout nous raconter dans le détail. Elle semble très satisfaite de sa démarche.

« Je suis arrivée chez ton ex avec mon huissier à sept heures du matin. Nous avons sonné. Luc, encore endormi, nous a ouvert avec Philippe sur ses talons. Il a saisi la lettre, l'a ouverte. Nous ne bougions pas. Après quelques lignes, il fulminait. Laurence et Alexia m'ont reconnue et se sont approchées, intriguées. Il a voulu les éloigner.

« — Allez dans la cuisine !

« Je suis aussitôt intervenue :

« — Non, restez, c'est important que vous entendiez la suite.

« Là, ton ex m'a agressée.

« — T'es qui, toi ?

« — L'avocate qui a signé la lettre. Michel St-Pierre habite juste au-dessus de chez moi. Il a été mon conjoint pendant plusieurs années. »

Dans un effort pour alléger la tension à fleur de peau de Naïma, je risque :

« Tu vois, c'est payant de conserver de bonnes relations avec ses ex. »

Blague qui tombe à plat. Naïma n'a d'écoute que pour Caroline, qui enchaîne :

« Il était interloqué. Je suis demeurée très ferme, sans agressivité, même si ça me démangeait. Je lui ai dit : "Qu'est-ce que tu cherches au juste ? Pourquoi toute cette haine et cette volonté de vengeance ? Pourquoi toujours faire souffrir les enfants lors d'une séparation ? Parce qu'elle t'a préféré un vieux ? Ton ego en a pris un coup ? Tu lui as déjà enlevé un enfant en le *brainwashant...*" Il a tenté de répliquer, mais je ne lui en ai pas laissé le loisir. Ton Philippe était dans ses petits souliers. Tes filles ne perdaient pas un mot de notre confrontation. Je lui réservais le meilleur pour la fin.

« — Qu'est-ce qui t'anime en dedans ?

« Je lui ai montré mon cœur.

« — Toi puis tous ceux de ton espèce ?

« — Je ne veux pas que mes enfants vivent dans un environnement...

« — Si mes deux gars ont bien tourné, c'est un peu beaucoup grâce à Michel, grâce à sa générosité, à sa compréhension, à son honnêteté, à son amour. Si tu veux que je te traîne en cour pour tout ce que tu as fait subir à Naïma et à tes enfants, je te souhaite bonne chance. En prime, mes deux gars vont se faire un plaisir de venir témoigner pour lui devant le juge.

« Il se sentait mal devant l'observation du huissier et de ses enfants. Il a perdu de son arrogance.

« — Tes enfants sont chanceux de l'avoir dans leur vie.

« Il est demeuré sans voix. C'est alors que j'ai décidé de porter le grand coup.

« — Tes filles t'ont-elles dit que Michel avait eu des attouchements sexuels sur elles ?

« — Pas dans ces termes...

« — Dans quels termes ?

« — Qu'il favorisait souvent des jeux de chatouille.

« — Et tu en as déduit que... ?

« — Qu'est-ce qu'un vieux peut trouver comme plaisir dans un jeu comme celui-là à part de...

« Je l'ai interrompu pour m'adresser directement à Laurence et Alexia.

« — Est-ce que Michel vous a déjà fait des attouchements ?

« Elles étaient stupéfaites.

« — Non ! Jamais !

« J'ai alors fixé ton ex très durement.

« — J'ai hâte de te revoir devant un juge.

« Et j'ai terminé avec cette question : "Est-ce que Naïma peut venir chercher les enfants vendredi ou dois-je demander au juge la garde exclusive ?"

« Il n'avait plus d'autre choix que de se ménager une porte de sortie.

« — Je n'ai jamais eu l'intention de priver les enfants de leur mère.

« — C'est bien ce que je pensais.

« Je me suis alors adressée aux filles : "À vendredi, les enfants. Et à toi aussi, Philippe, si tu veux te joindre à tes sœurs."

« Bouche bée, il a baissé les yeux. »

*Je suis soulagée. J'embrasserais Caroline sur les deux joues. Je suis consciente de la fragilité de cette victoire, néanmoins elle est bienvenue. Caroline tente de me rassurer encore davantage.*

*« À ta place, je ne perdrais pas espoir pour ton Philippe... Je crois qu'il a déjà commencé à comprendre. »*

—

Vendredi, seize heures. Je me gare devant la maison de Luc. Tout au long du trajet, j'ai senti Naïma tendue, mais déterminée. Personne ne serait en mesure de lui résister aujourd'hui.

Luc travaille sur son terrain avec Philippe. Naïma descend, je la suis. Beaucoup de tension. Beaucoup de regards échangés sans un mot. Naïma s'avance. Je demeure tout de même un peu en retrait. Luc ne bouge pas. Nous approchons de la porte d'entrée lorsque Laurence et Alexia en sortent.

Alexia, en grande forme, se jette dans les bras de sa mère. Laurence, heureuse de nous revoir, se dirige directement vers la voiture. Je jette un œil vers Luc. Heureusement pour moi et pour lui, il ne tente aucune intervention. Nous suivons.

*Au passage, je regarde Luc et Philippe. Je ralentis. Les filles ne les ont même pas salués. Luc recommence à travailler sans plus s'occuper de nous. Philippe, par contre, ne me quitte pas des yeux. Puis son regard va de son père à moi puis à son père. Il finit par se remettre au travail.*

*Je pars avec Michel et mes deux filles.*

—

*Dès mon retour à la maison, j'interroge mes filles.*

*« Votre père ne vous a rien dit de spécial cette semaine ?*

*— Il nous a dit qu'il y avait des problèmes, mais après la visite de Caroline, il nous a dit que c'était réglé, qu'il avait commis une erreur, mais qu'il jugeait que nous serions mieux d'habiter avec lui, à Chomedey, que Michel n'était pas un bon exemple pour nous. »*

*Cette réponse de Laurence ne me satisfait pas. Je me tourne vers Alexia.*

*« Vous avez bien tout entendu ce qui s'est dit quand Caroline est allée voir votre père ? »*

*— Oui. »*

Je sens les enfants très mal à l'aise. Je coupe court à l'interrogatoire, quitte à en reparler plus tard.

« Si c'est réglé, on n'en parlera plus ! »

Je me tourne vers Naïma en souriant.

« Grand merci à Caroline. »

Mais Naïma ne lâche pas prise. Son insécurité est à fleur de peau.

*« Vous êtes certaines que vous n'aimeriez pas mieux demeurer tout le temps chez votre père ? »*

*Elles me regardent, l'air de dire : arrête avec tes questions stupides !*

*J'ai poursuivi l'investigation ad nauseam. Elles étaient excédées et à juste titre. Luc est tellement manipulateur que je le soupçonne plus que jamais de tous les maux. A-t-il convaincu mes filles de sa bonne foi et de ma mauvaise foi ? Il en est capable, parce que très intelligent et habile. Jusqu'où puis-je croire mes enfants ? Que me cachent-elles quand je les sais sous la férule de leur père ? L'avenir, à ce chapitre, m'apparaît sombre et lourd de menaces.*

*Comment ai-je pu vivre avec un tel homme aussi longtemps ? Il ne m'a jamais dit, d'aussi loin que je me souvienne, qu'il m'aimait. Il ne me faisait jamais de compliments. Aurais-je pu ou dû découvrir sa vraie nature dès le début ? A-t-il évolué dans cette direction sur la route de sa vie ? Et moi, de mon côté ? Quelle est ou quelle a été ma part de responsabilité dans tout ça, moi qui étais si bonne pour absorber tous les blâmes ? Pour éviter de remettre en question mes choix ? Pour garder une famille unie pour mes enfants ? Peut-être, selon l'opinion de Michel, que Luc est un vrai fondamentaliste. La fin justifiant les moyens... Et moi, qu'étais-je devenue pour lui ?*

*Il existe encore tant de mystères que je n'ai pas réussi à élucider. Je me tourne vers Michel, endormi. Il ouvre un œil et me sourit. Il n'en faut pas davantage pour me rasséréner. C'est avec lui que je vis et pour longtemps...*

—

Enfin le grand jour ! Nous avons tout mis au point ensemble. À une exception près. Ma surprise !

À l'heure déterminée, vêtus de nos plus beaux atours, je la conduis sur la rue Saint-Joseph, dans l'est. Elle ne comprend pas. Un autre coup fourré, peut-être ? Nous descendons de la voiture et marchons vers une piste d'atterrissage où un hélicoptère nous attend.

Elle réalise alors ce qui se passe avec un air découragé et heureux à la fois. Le pilote nous accueille et nous voilà en train de survoler la ville. Une sorte de tour d'honneur. Elle me serre la main. Il s'agit d'une première pour elle. Ses yeux ne sont pas assez grands pour tout voir, tout reconnaître.

Nous atterrissons sur l'île Sainte-Hélène, où une grande limousine blanche, un peu quétaine, je l'avoue, nous attend pour nous conduire à la Biosphère, là où se trouvent tous nos invités.

Décoration et ambiance de grande fête : fleurs, ballons, orchestre. Un jour de célébration. Naïma est resplendissante. Nous trinquons au champagne. Mes filles et leurs conjoints, le petit Frédéric, Élizabeth et son mari, Caroline et Bernard, Bianca et Louise, plein d'amis, la famille de Naïma, sa patronne, des clients et des amis.

Deux absents de marque : Philippe et Fatima. Quoique prévisible, cela jette une ombre sur cette journée ensoleillée et vibrante d'énergie. Naïma a tout raconté en long et en large à sa mère, mais malgré l'intervention d'Aïcha, de Selim et de Salima, elle s'obstine à demeurer enfermée dans sa bulle.

Naïma et moi, nous nous dirigeons vers la place d'honneur pour prendre la parole.

*Qui aurait cru que c'est ici que ma phase de transition m'aurait menée ?*

« Aujourd'hui, il ne s'agit pas d'une cérémonie de mariage, non ! Il n'y a pas de papiers. C'est la célébration de l'amour que nous nous portons, Naïma et moi.

— *Non, ce n'est pas un* happy ending *! Ce n'est pas une fin. C'est un début. Le début d'une nouvelle étape.*

— … qui nous réserve beaucoup de surprises, de bonnes et de moins bonnes sûrement. Mais c'est le point de départ d'un amour qui se veut solide, viable, serein et durable.

— *C'est en tout cas la direction que nous prenons.*

— En espérant que ça dure assez longtemps pour qu'elle soit encore là pour pousser ma chaise roulante dans… vingt-cinq ans ! »

Nous n'avons pas répété cette dernière phrase lors des préparatifs de notre allocution. Naïma se tourne vers moi. Un grand sourire illumine son visage.

*Mes yeux font le tour des parents et amis rassemblés pour célébrer notre amour. Malgré l'absence de ma mère et de Philippe, je ne peux m'empêcher de me sentir follement heureuse. Je m'exclame.*

« *C'est* cool *! Tout est parfaitement imparfait !* »

Une dernière surprise, celle-là nullement préparée, vient compléter ce moment mémorable. Sous le coup de l'émotion, des larmes de joie embuent mes yeux. J'avise Naïma, qui en devient fébrile. L'arrivée, derrière nos parents et amis, d'un timide Philippe…

# Personnages et comédiens

par ordre d'apparition sur le DVD

1. Michel et Naïma      Yvan Ponton et Karima Brikh

2. Fatima      Abla Farhoud

3. Luc      Bobby Beshro

4. Patrick      Frédéric de Grandpré

5. Naïma et Michel      Karima Brikh et Yvon Ponton

# Remerciements

Je tiens tout d'abord à remercier mon éditrice, Monique H. Messier, qui m'a encouragé, guidé, soutenu dans l'écriture de mon premier roman.

Au fil des trois dernières années, Pierre Gendron, Karina Aktouf, Karima Brikh et Lynda Thalie m'ont tour à tour fait bénéficier de leurs encouragements et de leurs conseils.

Enfin, que dire de la collaboration et du dévouement des comédiens Yvan Ponton, Karima Brikh, Abla Farhoud, Frédéric de Grandpré et Bobby Beshro, et de tous mes « amis » qui ont gracieusement mis leur talent et leur temps dans la réalisation et la production du DVD qui accompagne ce roman ? Vous trouverez leurs noms au générique de fin.

Merci finalement à ma conjointe, Marie-Claude, qui m'a supporté durant cette longue aventure de plus de trois ans. Merci, mon amour !